D0177413

Les références culturelles des jeunes lecteurs
étant très proches du Panthéon romain,
l'auteur a utilisé, par convention,
les noms de la mythologie romaine.

CHRISTIAN GRENIER

CONTES ET LÉGENDES DES HÉROS DE LA MYTHOLOGIE

Illustrations de Philippe Kailhenn

Nathan

I

PHILÉMON ET BAUCIS

LE DEVOIR D'HOSPITALITÉ

JUPITER, le plus puissant des dieux, aimait se rendre sur la Terre. Déguisé en simple voyageur, il se mêlait alors aux humains pour les observer, les éprouver ou les séduire...

Ce jour-là, accompagné de son fils Mercure, qui était aussi son complice, il cheminait sur les routes de Phrygie. Comme le soir tombait, les deux divinités pénétrèrent dans un bourg aux maisons de riche apparence.

– Il était temps ! s'exclama Mercure en désignant le ciel où s'amoncelaient les nuages.

Jupiter haussa les épaules. La pluie ne le souciait guère, et l'orage encore moins : ne commandait-il pas à la foudre ?

– Eh bien ! s'exclama-t-il, voici un village qui me semble prospère. Voyons si leurs habitants nous offriront le gîte et le couvert...

Justement, le propriétaire d'une somptueuse villa s'apprêtait à rentrer dans sa demeure. Jupiter l'apostropha :

– Noble seigneur, accepterais-tu de donner l'hospitalité à deux voyageurs fourbus ?

L'autre eut à peine un regard pour les inconnus. Il s'empressa de rentrer chez lui, et ferma la porte dont le loquet de bois retomba lourdement. Devant la mine décontenancée de son père, Mercure éclata de rire. Il désigna leurs vêtements et dit :

– Il faut avouer que nous n'inspirons guère le respect avec cet accoutrement ! Qui pourrait croire que des dieux se cachent derrière ces guenilles ?

Ils frappèrent à la porte de la deuxième maison dont la façade était aussi opulente que celle de la première. Un long temps s'écoula avant que n'apparaisse dans l'entrebâillement le visage d'un homme mûr. Des broderies d'argent ornaient sa tunique.

– Qu'est-ce que c'est ? grommela-t-il en les dévisageant d'un air suspicieux. Qui êtes-vous ?

– Des étrangers qui sollicitent...

– Des étrangers ? Passez vite votre chemin !

Sur ces mots de bienvenue, le propriétaire leur ferma la porte au nez. Au-dehors, quelques gouttes de pluie se mirent à tomber.

– Jupiter, fit Mercure, ne crois-tu pas que nous devrions regagner l'Olympe ? Grâce à mes semelles ailées...

– Frappe donc à cette autre porte.

En soupirant, Mercure s'exécuta. Cette fois, c'est un jeune serviteur qui leur ouvrit ; son expression était craintive et sur ses épaules se devinaient de récentes traces de fouet.

– Ah, mon garçon ! s'exclama Jupiter. Mon fils et moi sommes exténués. Ton maître nous accorderait-il l'hospitalité ?

Les dieux aperçurent dans la salle principale une immense table garnie autour de laquelle ripaillaient de nombreux convives. Vins et rires coulaient à flots. Le jeune esclave leur chuchota :

– Hélas, les consignes sont strictes : je ne dois laisser entrer que les invités. Mon maître a horreur des intrus.

– Il n'en saura rien, fit Mercure en tirant une pièce de sa poche. Nous serons discrets. Et une place dans l'écurie nous suffira !

– Impossible... Oh, je crois qu'il vient. Partez vite avant qu'il ne vous donne la chasse avec ses chiens !

Cette fois, les dieux se retrouvèrent sous une pluie battante.

– Mon père, protesta Mercure, pourquoi nous entêter ? Revêtons au moins de meilleurs habits ! Faute de provoquer la compassion, nous inspirerons confiance.

– Pas question. J'aimerais savoir jusqu'où peuvent aller l'égoïsme et l'arrogance des gens de ce village.

Au bout d'une heure, ils furent fixés : aucun des habitants du bourg ne les avait invités à entrer. Parfois, on s'était contenté de les interroger derrière la porte fermée avant de leur ordonner d'aller voir ailleurs ; d'autres fois, bien que des lueurs et des voix indiquassent que le logis était habité, ils n'avaient obtenu aucune réponse à leurs appels et à leurs coups répétés.

Jupiter était ulcéré. Il fulmina :

– Comment punir ces malotrus ?

– En attendant, nous sommes trempés. Rejoignons l'Olympe !

– Attends. Il reste encore une dernière maison...

– Tu veux parler de cette méchante masure, à l'écart du chemin ?

– Vois : une faible lueur filtre par la fenêtre.

Ils s'approchèrent et frappèrent à l'huis. Un couple de vieillards leur ouvrit. À en juger par leur mine, ils ne devaient pas manger tous les jours à leur faim. Mais leur visage exprimait la douceur et la bonté. La femme, soudain inquiète, leur dit aussitôt :

– Malheureux, dehors sous la pluie à cette heure ? Vous allez attraper la mort ! Entrez vite vous sécher.

Les dieux déguisés allèrent s'installer devant la cheminée. Le maître des lieux prit la dernière bûche d'un maigre tas de bois pour la jeter dans l'âtre et ranimer le foyer. Jupiter désigna à son fils l'autel domestique tout proche où avaient été déposées des offrandes, signe que ces humains honoraient souvent les dieux.

– Quand vous serez réchauffés, dit leur hôte en désignant la table, vous viendrez partager notre repas. Malheureusement, il sera modeste : nous n'avons qu'un peu de soupe et du pain à vous proposer. Baucis, veux-tu ajouter deux bols ?

La vieille femme obéit tandis que son époux partageait la miche en quatre, réservant les plus grosses parts à leurs invités.

– Philémon ? s'exclama-t-elle soudain. J'y pense : notre oie...

– Tu as raison, Baucis, répondit le vieillard en souriant. Nous hésitions à la tuer mais c'est là une belle occasion !

Touchés par l'obligeance de leur hôte, les dieux voulurent le retenir, mais il était déjà sorti. Quand il revint, il tenait par les pattes une oie aussi maigre que leurs propriétaires. L'animal, qui devait comprendre ce qui l'attendait, gigotait en caquetant désespérément.

Jusque-là, Jupiter et Mercure n'avaient pas réagi. D'un commun accord, ils décidèrent de révéler leur identité. Ils troquèrent d'un coup leurs défroques détrempées contre des habits secs et dignes de leur condition. Leurs hôtes n'avaient encore rien vu de ce prodige : ils étaient bien trop occupés à courir après leur oie ! Celle-ci venait en effet de leur échapper, elle courait dans la pièce en voletant. Et elle disposait de plus d'énergie que les deux malheureux vieillards lancés à sa poursuite ! Finalement, elle vint se refugier entre les jambes des dieux restés assis. C'est seulement à cet instant que Philémon et Baucis remarquèrent les somptueux vêtements de leurs visiteurs et la noblesse de leur attitude. Stupéfaits, ils comprirent qu'ils n'avaient pas accueilli des voyageurs ordinaires ; ils se prosternèrent à leurs pieds. D'une voix chevrotante, Philémon balbutia :

– Nobles seigneurs, je sais que ce pauvre dîner est indigne de vous ! Si vous acceptiez de me rendre notre oie...

– Brave Philémon, dit Jupiter en se levant, je refuse que tu sacrifies cet animal. Et toi, Baucis, sois remerciée pour ce repas que tu voulais partager avec nous. Qu'il soit à la mesure de votre accueil !

En une seconde, la table fut couverte de

viandes juteuses, de volailles rôties et de plats d'argent regorgeant de mets délicats. Les deux vieillards, qui n'avaient jamais vu rien de tel, écarquillèrent les yeux.

– Sachez, Philémon et Baucis, que vous avez devant vous Jupiter et Mercure. Ce soir, vous partagerez l'ordinaire des dieux...

Les vieillards firent sans doute le plus grand festin de leur vie. Mais si Jupiter et Mercure avaient voulu récompenser l'hospitalité du couple, ils tenaient à punir l'ingratitude de ceux qui la leur avaient refusée. Une fois le repas achevé, ils entraînèrent dans la nuit Philémon et Baucis hors de la cabane. Dociles et tremblants, ceux-ci se tenaient par la main comme s'ils avaient peur de se perdre.

La pluie avait cessé. Ou plutôt elle ne tombait plus sur les pentes de la colline qu'ils gravissaient tous quatre. En revanche, on eût dit qu'elle redoublait dans la plaine qu'ils avaient quittée.

De son index tendu vers les nuées, Jupiter fit jaillir les éclairs ; le tonnerre gronda, et un véritable déluge s'abattit sur le village. Serrés l'un contre l'autre, Philémon et Baucis s'interrogeaient sur le sort que les dieux leur réservaient.

Quand l'aube se leva, il ne restait plus rien du bourg. Et une fois que les eaux se furent retirées, seul un toit de chaume émergea.

– Notre cabane ! s'écrièrent Philémon et Baucis.

– Qu'elle soit un temple désormais ! décréta Jupiter.

Aussitôt, devant les yeux ébahis des vieillards, la pauvre masure se transforma en un magnifique monument aux colonnes de marbre.

– À présent, leur dit Jupiter, je veux vous remercier. Exprimez vos désirs ! Ils seront exaucés.

Perplexes, Philémon et Baucis se consultèrent du regard.

– Puissant dieu, répondit enfin Philémon,

laisse-nous devenir les gardiens de ce temple afin que nous puissions longtemps t'honorer.

Mercure ne put s'empêcher de railler sans méchanceté :

– Longtemps ? Mais combien d'années espères-tu vivre encore ?

– Eh bien, grand Jupiter, ajouta alors la vieille Baucis, permets-moi d'ajouter un vœu à celui de mon époux : j'aimerais vivre le plus de temps possible encore à ses côtés.

Jupiter réfléchit. Il cherchait le subterfuge qui lui permettrait d'accéder à l'étrange demande de ces vieilles gens. Seuls les dieux – et parfois les héros – pouvaient prétendre à l'immortalité.

– Quoi ? s'étonnait Mercure. Vous n'êtes donc pas lassés l'un de l'autre ?

– Non, répondit Baucis en souriant. Quand nous nous sommes connus et aimés, nous n'étions encore que des enfants. Depuis, nous ne nous sommes jamais quittés.

– Et durant toutes ces années, demanda

Jupiter, n'avez-vous pas éprouvé l'envie de vous séparer ? À la suite d'une dispute...

– Non, avoua Philémon. La Discorde, cette divinité malfaisante, nous a toujours épargnés.

Soudain, Jupiter comprit pourquoi ce couple attendrissant les avait si spontanément hébergés : ils s'aimaient. C'était peut-être là le meilleur ferment de l'hospitalité. Quand on ne peut pas donner d'amour à ses proches, comment pourrait-on en donner à des inconnus ? D'une seule et même voix, les vieillards achevèrent :

– Notre plus cher désir serait de mourir au même moment !

Mercure eut vers son père un regard amusé. Pour une fois, de simples humains donnaient aux dieux une leçon d'humilité. Jupiter, en effet, se querellait fréquemment avec Junon, son épouse... il est vrai qu'il n'était guère fidèle !

– Qu'il en soit ainsi ! décréta Jupiter aussi ému qu'impressionné. Je m'engage, Philémon et Baucis, à exaucer vos vœux.

Il y eut un éclair éblouissant.

Quand les deux vieillards purent enfin ouvrir les yeux, ils étaient seuls sur la colline.

Encore bouleversés par les récents événements, ils hésitèrent longtemps avant de regagner la plaine où se dressait le temple qui serait leur nouvelle demeure. Et quand enfin ils s'en approchèrent, ils eurent la surprise d'être accueillis par un volatile tout joyeux qui avançait vers eux en se dandinant.

Dans sa grande mansuétude, Jupiter avait épargné l'oie.

Les années s'écoulèrent.

Fidèles à leur parole comme à leur amour, Philémon et Baucis restèrent jusqu'au bout les gardiens du temple de Jupiter. Les pèlerins qui revenaient chaque année constataient, étonnés, que le temps n'avait aucune emprise sur ces vieillards accueillants et généreux.

Mais comme Philémon et Baucis n'étaient que des humains, il fallut que Jupiter donne un terme à leur vie. Un jour, alors qu'ils se tenaient par la main, près du temple, ils constatèrent que leur corps durcissait en se pétrifiant. Bientôt, ils furent incapables de bouger. Cela n'enleva rien à leur sérénité.

– Je crois que c'est la fin, dit Philémon. Baucis, je t'aime.

– C'est la fin, répondit Baucis. Philémon, je t'ai toujours aimé.

Ce furent les dernières paroles qu'ils échangèrent.

Peu à peu, leur corps se couvrit d'écorce. Leur visage se transforma en frondaison[1]. Leurs mains devinrent des branches et leurs doigts des rameaux. Et puisqu'ils se tenaient tout près l'un de l'autre, leurs feuillages s'enlacèrent dans la même tendre verdeur.

Ils devinrent si hauts et si beaux que, bientôt, leurs ombres confondues recouvrirent le temple.

---

1. Frondaison : ensemble du feuillage d'un arbre.

Combien de siècles vécurent-ils ainsi, côte à côte ? Nul ne le sait. Mais avec le temps, le temple lui-même se dégrada et finit par tomber en ruine.

Aujourd'hui encore, dans ce qui fut la Phrygie, il paraît qu'on peut apercevoir un très vieux tilleul voisinant un chêne millénaire.

Voyageur, si un jour tu passes par là et si tu aperçois ces deux arbres non loin de quelques pierres, songe que la végétation est comme l'hospitalité : elle se cultive et se renouvelle. Et souviens-toi de la légende de Philémon et Baucis.

II

Orphée

Les deux morts d'Eurydice

Orphée chante.

Il chante en parcourant les prés et les bois de son pays : la Thrace. Il s'accompagne de sa lyre, un instrument qu'il a perfectionné en lui ajoutant deux cordes – si bien qu'à présent, elle en possède neuf. Neuf cordes... en hommage aux neuf muses !

Son chant est si beau que les pierres du chemin s'écartent pour ne pas risquer de le blesser ; les branches des arbres se penchent vers lui et les fleurs s'empressent d'éclore pour mieux l'écouter.

Soudain, Orphée s'arrête : devant lui se tient une jeune fille d'une grande beauté. Assise sur la berge du fleuve Pénée, elle peigne ses longs cheveux – et s'interrompt à l'arrivée inopinée de ce voyageur. Elle est presque nue, comme le sont aussi les naïades qui peuplent les eaux vives. Orphée et la nymphe[1] se font un moment face, surpris et éblouis l'un par l'autre.

– Qui es-tu, belle inconnue ? lui demande enfin Orphée en s'approchant.

– Je suis Eurydice, une Dryade.

À l'étrange et délicieuse douleur qui lui étreint le cœur, Orphée comprend que l'amour qu'il éprouve pour cette belle nymphe est immense et définitif.

– Et toi ? demande enfin Eurydice. Quel est ton nom ?

---

1. Filles de Jupiter, les nymphes comprenaient essentiellement les Naïades (nymphes des eaux) et les Dryades (nymphes des forêts).

– Je m'appelle Orphée. Ma mère est la muse Calliope et mon père Apollon, le dieu de la musique ! Je suis musicien et poète...

Plaquant quelques accords sur son instrument – des cordes tendues sur une superbe carapace de tortue –, il ajoute :

– Vois-tu cette lyre ? J'en suis l'inventeur et je l'ai appelée *cithare*.

– Je le sais. Qui n'a entendu parler de toi, Orphée ?

Orphée se rengorge. La modestie n'est pas son fort. Il est ravi que sa renommée ait déjà atteint la nymphe.

– Eurydice, murmure-t-il en s'inclinant devant elle, je crois que Cupidon m'a décoché l'une de ses flèches...

Cupidon, c'est le dieu de l'amour. Flattée et ravie, Eurydice éclate de rire.

– Je suis sincère, insiste Orphée. Eurydice, je veux t'épouser !

Caché dans les roseaux du rivage, quelqu'un n'a rien perdu de la scène. C'est un autre fils d'Apollon : Aristée, devenu apiculteur et berger. Lui aussi aime Eurydice – mais la belle nymphe l'a toujours repoussé. Il mord son poing serré pour ne pas hurler sa jalousie ; et il jure de se venger...

Aujourd'hui, Orphée épouse Eurydice !

Au bord du fleuve Pénée, la fête bat son plein. La jeune fiancée a invité toutes les Dryades qui dansent au son de la cithare d'Orphée. Soudain, pour taquiner son futur époux, elle s'exclame :

– Réussiras-tu à m'attraper, Orphée ?

Elle s'enfuit parmi les roseaux en riant. Abandonnant sa cithare, Orphée se lance à sa poursuite. Mais les herbes sont hautes et Eurydice est vive. Une fois son amoureux hors de vue, elle se précipite dans un bosquet pour s'y dissimuler. Là, deux bras vigoureux la saisissent. Elle hurle de surprise et d'effroi.

– N'aie crainte, chuchote une voix rauque. C'est moi : Aristée.

– Que me veux-tu, maudit berger ? Retourne à tes moutons, à tes abeilles et à tes ruches !

– Pourquoi me rejettes-tu, Eurydice ?

– Lâche-moi ! Je te déteste. Orphée ! Orphée !

– Un baiser... Donne-moi seulement un baiser et je te laisse repartir.

D'un geste, Eurydice se dégage de l'étreinte d'Aristée et rejoint en courant la berge du Pénée. Mais le berger n'a pas renoncé, il la poursuit.

Dans sa fuite, Eurydice marche sur un serpent. C'est une vipère qui, de colère, plante ses crocs dans le mollet de la jeune fille.

– Orphée ! hurle-t-elle en grimaçant de douleur.

Son fiancé accourt. Là-bas, Aristée juge plus prudent de s'éloigner.

– Eurydice ! Que s'est-il passé ?

– Je crois... qu'un serpent m'a mordue.

Orphée prend dans ses bras sa fiancée dont le regard se voile. Bientôt accourent de toutes parts les Dryades et les invités.

– Eurydice... Je t'en conjure, ne me quitte pas !

– Orphée, je t'aime, je ne veux pas te perdre...

Ce sont les derniers mots d'Eurydice. Elle halète, elle étouffe. C'est fini, le venin a fait son œuvre. Eurydice a expiré.

Autour de la jeune morte résonnent à présent des lamentations, des gémissements, des cris.

Sa douleur, Orphée veut l'exprimer au ciel : il saisit sa lyre et improvise un chant funèbre que les Dryades reprennent en chœur. C'est une plainte si émouvante que les fauves sortent de leur tanière, rampent jusqu'à la belle défunte et viennent mêler leurs plaintes à celles des humains. C'est un chant si triste et si poignant que du sol jaillissent ici et là mille fontaines de larmes.

– C'est la faute d'Aristée ! lance soudain l'une des Dryades.

– C'est vrai. Je l'ai aperçu qui la poursuivait !

– Méchant Aristée... Allons détruire ses ruches !

– Oui. Tuons toutes ses abeilles. Vengeons notre amie Eurydice !

Orphée est inconsolable. Il assiste à la cérémonie funèbre en sanglotant. Les Dryades, émues, lui murmurent :

– Allons, Orphée, tu ne peux plus rien faire : à présent, Eurydice a rejoint les bords du Tartare, le fleuve des Enfers où se rassemblent les ombres.

À ces mots, Orphée sursaute et s'écrie :

– Vous avez raison. Elle est là. Il me faut donc aller l'y rechercher !

Autour de lui fusent quelques protestations ahuries. La douleur a-t-elle fait perdre la raison à Orphée ? Le royaume des ombres est un lieu d'où nul ne revient ! Son souverain, Pluton et l'horrible monstre Cerbère, son chien à trois têtes, veillent à ce que les morts ne quittent pas le domaine des ténèbres.

– J'irai, insiste Orphée. J'irai et je l'arracherai à la mort. Le dieu des Enfers consentira à me la rendre. Oui, je le convaincrai avec le chant de ma lyre et la force de mon amour !

L'entrée des Enfers est une grotte qui s'ouvre au cap Ténare – mais s'y aventurer serait une folie !

Orphée, lui, a osé écarter l'énorme rocher qui bouche l'orifice de la caverne ; il s'est élancé sans crainte dans l'obscurité. Depuis combien de temps marche-t-il sur cet étroit sentier ? Bientôt, des gémissements lointains le font frissonner. Puis apparaît une rivière souterraine : l'Achéron, le fameux fleuve des douleurs...

Orphée sait que ce cours d'eau aboutit au Styx, dont les berges sont hantées par les ombres des défunts. Alors, pour se donner du courage, il entonne un chant sur sa lyre. Et le miracle survient : les âmes des spectres cessent de gémir, les fantômes accourent en foule

pour écouter ce voyageur audacieux qui vient du monde des vivants !

Soudain, Orphée aperçoit un vieillard juché sur une embarcation. Il interrompt son chant pour le héler :

– C'est bien toi, Charon ? Mène-moi donc à Pluton !

Subjugué autant par les chants d'Orphée que par sa hardiesse, le passeur chargé d'amener les âmes au maître des lieux fait monter le voyageur dans sa barque. Peu après, il le dépose sur l'autre berge, devant deux portes monumentales en bronze. Là se tiennent, chacun sur son trône, le redoutable dieu des Enfers et son épouse Proserpine ! À leurs côtés, le hideux chien Cerbère ouvre les gueules de ses trois têtes ; ses aboiements emplissent la caverne.

Goguenard, Pluton dévisage l'intrus :

– Qui es-tu, toi qui oses braver le dieu des Enfers ?

Alors, Orphée chante. En s'accompagnant

de sa lyre, il jette une supplique aux accents déchirants :

– Noble Pluton, je ne dois ma hardiesse qu'à la force de mon amour ! Mon amour, c'est la belle Eurydice qui m'a été enlevée le jour même de mes noces. À présent, elle a rejoint ton royaume. Et je viens, puissant dieu, implorer ta clémence. Oui, rends-moi mon Eurydice ! Laisse-moi repartir avec elle vers le monde des vivants.

Pluton hésite avant de chasser cet audacieux. Il hésite, car le terrible Cerbère lui-même semble touché par cette prière : le monstre a cessé d'aboyer, il rampe à présent à terre en gémissant !

– Sais-tu, jeune imprudent, déclare Pluton en désignant les portes, que personne ne quitte les Enfers ? En principe, je ne devrais même pas te laisser repartir !

– Je le sais ! répond Orphée en reprenant sa plainte. Je ne redoute pas la mort ! Puisque j'ai perdu mon Eurydice, j'ai perdu toute

raison de vivre. Et si tu refuses de me laisser repartir avec elle, je resterai donc ici, à ses côtés, dans tes Enfers !

Proserpine se penche vers son époux pour lui murmurer quelques mots à l'oreille. Pluton hoche la tête, indécis. Enfin, après mûre réflexion, il déclare à Orphée :

– Eh bien, jeune téméraire, ton courage et ta détresse sont parvenus à m'émouvoir. Soit : j'accepte que tu repartes avec ton Eurydice. Mais je veux mettre ton amour à l'épreuve...

Une bouffée de joie et de reconnaissance envahit Orphée.

– Ah, grand Pluton, la plus terrible des conditions sera plus douce que la cruauté de notre séparation ! Que dois-je faire ?

– Ne pas te retourner vers ta bien-aimée tant que vous n'aurez pas quitté tous deux mon domaine. Car c'est toi qui la conduiras hors d'ici. M'as-tu bien compris ? Tu ne dois ni la voir, ni lui adresser la parole ! Si tu désobéis, Orphée, tu perdras Eurydice à jamais !

Éperdu d'allégresse, le poète s'incline devant les dieux.

– À présent, va, Orphée. Mais n'oublie pas ce que j'ai décrété.

Orphée aperçoit les deux battants de la lourde porte de bronze qui, déjà, s'entrouvrent en grinçant.

– Pars le premier ! Tu n'as pas le droit de la voir !

Vite, Orphée ramasse sa lyre et se dirige vers la barque de Charon. Il marche lentement, car il veut être sûr qu'Eurydice le suit. Mais comment en être sûr ? L'angoisse, l'incertitude font jaillir des larmes de ses yeux. Il manque s'exclamer : « Eurydice ! » – mais il se souvient à temps de la recommandation du dieu et il se garde d'ouvrir la bouche.

À peine est-il monté dans la barque de Charon qu'il sent l'embarcation tanguer une seconde fois : c'est donc qu'Eurydice l'a rejoint ! En grommelant devant le surcroît de poids, le vieux passeur entreprend de remonter le courant.

Enfin, Orphée met pied à terre ; il s'élance sur le chemin qui remonte vers le monde des vivants... puis il s'arrête pour écouter. Malgré les courants d'air qui sifflent dans la caverne, il devine le froissement d'une robe et le bruit des pas d'une femme qui foulent le même sentier. Eurydice ! Eurydice ! Il se hâte et escalade les rochers tant il a hâte de la retrouver. Mais s'il prenait trop d'avance ? Et si elle s'égarait ?

Domptant son impatience, il ralentit l'allure, guette les bruits qui, derrière lui, indiquent qu'Eurydice le suit. Mais tandis qu'il aperçoit l'entrée de la caverne au loin, un affreux doute l'effleure : et si ce n'était pas Eurydice ? Et si Pluton l'avait dupé ? Orphée connaît la cruauté dont les dieux sont capables, il sait combien ceux-ci savent se moquer des malheureux humains ! Pour s'encourager, il murmure :

– Allons, il ne reste plus que quelques pas...

Cœur battant, Orphée les franchit. Et d'une enjambée, il arrive à l'air libre, dans la grande lumière du jour !

– Eurydice... enfin !

N'y tenant plus, il se retourne.

Et il aperçoit en effet sa bien-aimée.

Dans l'ombre.

Car bien qu'elle marche dans ses pas, elle n'a pas encore franchi les limites du ténébreux royaume. Et Orphée, en un éclair, comprend tout à la fois son imprudence et son malheur.

– Eurydice... Non !

C'est trop tard : déjà, la silhouette d'Eurydice s'estompe, se dilue dans l'obscurité. Un filet de voix lui parvient :

– Orphée... adieu, mon tendre aimé !

L'énorme bloc se referme sur l'entrée de la caverne. Orphée sait qu'il est inutile de reprendre le chemin des Enfers.

– Eurydice... Par ma faute, je te perds une seconde fois !

Orphée a rejoint son pays, la Thrace, en clamant sa souffrance en chemin à tous ceux qu'il a rencontrés. La conscience de sa culpabilité rend son nouveau désespoir plus intense que le premier.

– Orphée, lui disent les Dryades, pense donc à l'avenir, ne regarde pas en arrière... il faut apprendre à oublier.

– Oublier ? Comment oublier Eurydice ? Ce n'est pas ma hardiesse que les dieux ont voulu punir, c'est ma trop grande assurance.

La disparition d'Eurydice n'a pas enlevé à Orphée son besoin de chanter : nuit et jour, il veut communiquer à tous sa douleur infinie... Et les habitants de la Thrace ne tardent pas à se plaindre de ce deuil encombrant et démonstratif.

– Soit ! déclare Orphée. Eh bien je vais fuir le monde. Je vais me retirer loin du soleil et des douceurs de la Grèce. Ainsi, nul ne m'entendra plus chanter ni gémir !

Sept mois plus tard, Orphée arrive en vue du

mont Pangée. Là, de joyeuses clameurs indiquent qu'une fête bat son plein. Sous d'immenses tentes de toile, de nombreux convives boivent ; certains, ivres, courtisent de près des femmes qui ont elles aussi beaucoup bu. Comme Orphée s'apprête à poursuivre sa route, des jeunes filles l'interpellent :

– Viens donc te mêler à nous, beau voyageur !

– Quelle superbe lyre ! Ainsi tu es musicien ? Chante pour nous !

– Oui. Viens boire et danser en l'honneur du dieu Bacchus, notre maître !

Orphée reconnaît ces femmes : ce sont les Bacchantes ; leurs agapes s'achèvent souvent en orgie. Et Orphée n'a le cœur ni à danser ni à rire. Encore moins à boire et à aimer.

– Non. Je suis en deuil. J'ai perdu ma fiancée.

– Une de perdue, dix de retrouvées ! s'esclaffe l'une des Bacchantes en désignant leur groupe. Choisis l'une de nous pour compagne !

– Impossible. Je ne pourrai jamais en aimer une autre.

– Veux-tu dire que tu ne nous juges pas assez belles ?

– Aucune de nous ne serait donc digne de toi ?

Orphée ne répond pas ; il détourne les yeux et fait mine de partir. Mais les Bacchantes ne l'entendent pas de cette oreille.

– Quel est cet insolent qui nous dédaigne ?

– Mes sœurs, il faut que nous répondions à ce mépris !

Avant qu'Orphée ne puisse réagir, les Bacchantes se jettent sur lui pour le lacérer de leurs ongles. Orphée n'a ni l'énergie ni le désir de se défendre. Depuis qu'il a perdu Eurydice, l'Enfer ne l'effraie plus, et la vie l'attire moins que la mort.

Alertés par ce massacre, les convives accourent ; ils lapident l'infortuné voyageur qui a osé insulter les Bacchantes.

Vite submergé par le nombre, il succombe. Dans leur hargne, les furies déchirent en lambeaux le corps du malheureux poète. L'une d'elles le décapite et s'empare de sa tête ; elle la saisit par les cheveux et la jette dans le fleuve le plus proche, l'Hèbre. Une autre ramasse sa lyre et l'envoie aussi dans l'eau.

Le bruit de la mort d'Orphée se répand dans toute la Grèce.

Averties, les muses accourent. Elles parviennent au mont Pangée que les Bacchantes, lassées de leur orgie, ont enfin déserté ; pieusement les muses recueillent les restes du musicien.

– Allons les ensevelir au pied du mont Olympe ! décident-elles. Nous édifierons à Orphée un temple digne de sa mémoire.

– Mais sa tête ? Et sa lyre ?

– Hélas, nous ne les avons pas trouvées.

Nul n'a jamais revu la tête d'Orphée, ni sa lyre.

Mais le soir, quand on flâne sur les bords de l'Hèbre, monte parfois un chant d'une étonnante beauté. On dirait une voix, qu'accompagne une lyre.

Et en tendant l'oreille, on distingue une longue plainte.

C'est Orphée qui appelle Eurydice.

III

PERSÉE

LE COMBAT CONTRE MÉDUSE

LE ROI d'Argos, Acrisios, qui avait une fille unique, Danaé, entreprit le long voyage vers Delphes pour interroger la Pythie. Cette vieille femme, avec l'aide des dieux, pouvait parfois lire le futur. Il lui posa la seule question qui lui tenait à cœur :

– Aurai-je un jour un fils ?

La réponse de la Pythie fut terrible et inattendue :

– Non, Acrisios, jamais. En revanche, ton

petit-fils te tuera... et il te remplacera sur le trône d'Argos !

– Comment ? Que dis-tu ?

Mais la Pythie ne répétait jamais ses prophéties. Le roi d'Argos était consterné. Il revint vers sa patrie en répétant :

– Danaé... il ne faut pas que Danaé ait d'enfant !

C'est elle qui l'accueillit quand il rentra au palais. Elle s'enquit aussitôt :

– Eh bien, mon père ? Que vous a dit l'oracle ?

Le roi sentit son cœur chavirer. Comment déjouer la prophétie des dieux sans tuer Danaé ?

– Gardes, ordonna-t-il, qu'on enferme ma fille dans une prison sans porte ni fenêtre. Désormais, nul ne l'approchera !

Stupéfaite, Danaé se laissa emmener sans comprendre dans un vaste cachot caparaçonné de bronze. Le lourd plafond qu'on referma sur elle ne comportait que quelques fentes étroites

par lesquelles, chaque jour, on lui descendait de la nourriture au bout d'un fil.

Privée d'air pur, de lumière et de compagnie, Danaé crut qu'elle ne tarderait pas à mourir de chagrin.

Mais sur l'Olympe, Jupiter veillait ; il prit pitié de la prisonnière. Touché par sa détresse et surtout séduit par sa beauté, il résolut de lui venir en aide.

Une nuit, Danaé fut réveillée par un violent orage qui grondait au-dessus de sa tête. D'étranges gouttes de feu tombaient sur elle.

– Ma parole, mais... c'est de l'or ! s'exclama-t-elle en se levant.

Aussitôt, la pluie lumineuse prit forme. Danaé manqua défaillir en voyant se matérialiser devant elle un homme beau comme un dieu.

– N'aie crainte, Danaé ! dit-il. Je t'offre le moyen de t'enfuir...

Cette promesse était inespérée et Danaé succomba vite au charme du grand Jupiter.

Quand l'aube la réveilla, Danaé pensa avoir rêvé. Mais bientôt, elle comprit qu'elle était enceinte ! Et quelque temps plus tard, elle mit au monde un bébé d'une beauté et d'une force exceptionnelles.

– Je l'appellerai Persée ! décida-t-elle.

Un jour, longeant les geôles du palais, Acrisios crut entendre les cris d'un nourrisson. Il ordonna qu'on ouvre les portes des prisons. Quelle ne fut pas sa stupéfaction en découvrant sa fille qui tenait dans les bras un superbe nouveau-né !

– Mon père, épargnez-nous ! supplia Danaé.

Le roi mena une enquête, interrogea les gardes. Il dut se rendre à l'évidence : seul un dieu avait pu entrer dans ce cachot !

S'il supprimait sa fille et son enfant, Acrisios commettrait un crime impardonnable. Alors, le roi avisa un grand coffre de bois dans la salle du trône.

– Danaé, entre dans cette malle avec ton fils !

Tremblante de peur, elle obéit. Acrisios fit refermer et sceller la caisse. Puis il appela le capitaine de sa galère personnelle :

– Charge ce coffre sur ton navire. Et quand tu seras loin de toute terre habitée, ordonne à tes hommes de le jeter à la mer !

Le capitaine partit ; après trois jours de navigation, la malle fut balancée par-dessus bord.

À nouveau prisonnière, ballottée par les vagues, Danaé tentait de calmer les hurlements du petit Persée. Longtemps, le coffre de bois flotta sur la mer, au gré des flots...

Un matin, alors qu'il ramenait son bateau sur le sable, un pêcheur fut intrigué par cette énorme caisse que la marée avait fait échouer. Il déverrouilla le cadenas, espérant y découvrir un trésor ; il crut défaillir en apercevant une femme et un enfant inconscients.

– Ils sont beaux comme des dieux... Les malheureux semblent à bout de forces !

Depuis combien de temps dérivent-ils ainsi ?

Le pêcheur, Dictys, était un très brave homme. Il recueillit Danaé et son fils dans sa cabane et les soigna du mieux qu'il put.

– Où sommes-nous ? demanda Danaé quand elle se réveilla.

– Dans une île des Cyclades : Sériphos. Elle est gouvernée par mon frère, le tyran Polydecte. Mais n'ayez crainte, vous êtes en sécurité chez moi.

Les mois et les années passèrent. Persée était devenu un jeune homme robuste et courageux. Chaque jour, il accompagnait Dictys à la pêche. Quant à Danaé, elle faisait le ménage et la cuisine en bénissant chaque jour la bonté de leur sauveteur.

Un matin, un fier équipage s'arrêta devant la cabane de Dictys. C'était le roi Polydecte qui venait rendre visite à son frère. En apercevant Danaé sur le seuil, il fut frappé par la beauté et la noblesse de cette inconnue. Dès que Dictys apparut, le roi lui lança, intrigué :

– Dis-moi, mon frère, est-ce là ton épouse ou une princesse ?

– Oh, ni l'une ni l'autre, Polydecte : c'est une simple naufragée que j'ai recueillie.

– Tu as de la chance d'avoir pêché une si jolie perle ! Ce bijou est trop précieux pour un pauvre pêcheur. Viens, toi, dis-moi ton nom.

– Danaé, Sire, pour vous servir, dit la jeune femme en s'inclinant.

– Me servir ? Soit. Eh bien je t'emmène dans mon palais. Après tout, ce qui échoue sur les berges de mon île est ma propriété !

Interdite, Danaé se tourna vers Dictys : elle ne voulait pas échanger sa cabane contre un palais ni son bienfaiteur pour un roi.

– Hélas, lui chuchota Dictys, je crains que tu ne doives obéir.

– Ah, Sire ! supplia Danaé. J'ai un fils. Au moins, permettez qu'il m'accompagne et que nous ne soyons pas séparés.

– Entendu ! dit Polydecte. Va chercher ton enfant.

Mais quand le roi aperçut Persée, il regretta sa mansuétude. Ce jeune homme au port de prince pouvait devenir un rival...

Dès que Danaé arriva au palais, Polydecte lui réserva les plus beaux appartements. Amoureux de la jeune femme, il la courtisa assidûment. En revanche, Polydecte détestait Persée, mais pour plaire à Danaé, il fit venir les meilleurs précepteurs qui enseignèrent tous les arts à son fils. Danaé ne cessait de remercier le roi pour ses bienfaits et elle avait de plus en plus de difficultés à repousser ses avances.

– Demain, annonça-t-elle un jour tristement à son fils, Polydecte organise un grand banquet pour nos fiançailles.

– Quoi ? s'emporta Persée. Vous allez épouser le roi ?

– Je ne puis m'y opposer plus longtemps. Je t'en supplie, Persée, tâche de faire bonne figure pendant cette cérémonie.

La fête fut somptueuse : Polydecte avait fait servir les mets les plus fins. Chaque invité avait apporté un présent au maître des lieux, comme la coutume l'exigeait.

– Eh bien, Persée, demanda soudain Polydecte, que penses-tu de tous ces cadeaux ? Te semblent-ils dignes de nous ?

– Sire, répondit Persée dans une grimace de dépit, je ne vois là rien que de très ordinaire : des coupes en or, des chevaux, des harnais.

– Prétentieux ! Que voulais-tu donc qu'on m'apporte de si original ?

– Je ne sais pas... la tête de Méduse, par exemple !

Un murmure de crainte circula parmi les convives : Méduse était la plus grande et la plus dangereuse des trois Gorgones. On ignorait où habitaient ces trois sœurs monstrueuses ; mais on savait que leur chevelure était faite de serpents venimeux et surtout que leur regard pétrifiait sur place quiconque osait les regarder !

– Au fait, dit Polydecte, et toi Persée, quel présent nous as-tu fait ?

Le jeune homme baissa la tête en maugréant : qu'aurait-il pu apporter à leur hôte ? Contrairement au roi, lui ne possédait rien !

– Eh bien je te prends au mot ! décréta Polydecte. Je t'ordonne de me rapporter la tête de Méduse. Ne reviens pas sans elle au palais.

Le soir, Danaé, désespérée, dissuada son fils de la quitter. Mais c'était sans compter sur la fierté de Persée qui s'exclama :

– Non. Polydecte m'a lancé un défi. Et je lui dois ce qu'il me réclame en échange de son hospitalité.

Le lendemain, Persée errait le long des berges de Sériphos à la recherche d'une idée : il quitterait cette île, soit – mais où aller ?

C'est alors qu'atterrit soudain devant lui Mercure aux pieds ailés. Devant sa stupéfaction, le dieu des voyages éclata de rire :

– Te voilà bien embarrassé, jeune audacieux ! J'ignore où se cachent les Gorgones, mais leurs trois autres sœurs, les Grées, le savent ! En outre, elles possèdent trois objets sans lesquels tu ne pourras pas accomplir ta mission.

– Et... comment trouverai-je les trois Grées ? demanda Persée.

– Aucun problème. Monte sur mon dos, je t'emmène !

Persée se hissa sur les épaules de Mercure qui prit aussitôt son envol. Le dieu vola très longtemps vers le couchant avant de se poser dans une région aride et sombre. Il chuchota à Persée :

– Prends garde. Ces vieilles sorcières ne te livreront pas ces renseignements et ces objets de leur plein gré. Il te faudra ruser !

En approchant des trois sœurs, Persée eut un mouvement de recul : elles étaient d'une laideur repoussante. Leurs bouches étaient édentées, leurs orbites étaient vides. Elles

semblaient agitées et en grande discussion. Inlassablement, elles se repassaient de l'une à l'autre... un œil et une dent ! Persée étouffa une exclamation.

– Eh oui ! expliqua Mercure. Elles ne possèdent qu'un œil et une dent pour trois. Elles doivent donc se les prêter sans cesse !

Aussitôt, Persée eut une idée. Il s'approcha des trois Grées ; au moment où la première tendait l'œil et la dent à la deuxième, il s'en empara ! Les vieilles femmes hurlèrent à l'aveuglette :

– Qui es-tu ? Que veux-tu ? Rends-nous notre œil et notre dent !

– À deux conditions : que vous m'indiquiez où je trouverai vos sœurs les Gorgones, et que vous me donniez les trois objets qui me permettront de les affronter !

Affolées par tant d'audace, les trois Grées se disputèrent et se lamentèrent un moment – mais elles n'avaient même plus leur œil unique pour pleurer ! Enfin, l'une d'elles soupira :

– Soit. Tu trouveras Sthéno, Euryale et Méduse aux limites du monde, dans une caverne, par-delà le territoire du géant Atlas.

– Voici des sandales ailées qui te permettront d'y aller, une besace magique et le casque du dieu Pluton.

– Le casque de Pluton ! Mais à quoi me servira-t-il ?

– Celui qui le porte devient invisible. À présent, rends-nous notre bien !

Persée leur remit l'œil et la dent. Puis il rejoignit Mercure.

– Vois ! lui dit-il joyeusement. Je possède des sandales semblables aux tiennes ! M'accompagneras-tu ?

– Pas question, fit Mercure. J'ai beaucoup à faire. Désormais, tu peux te débrouiller tout seul. Mais prends garde à ne jamais regarder Méduse ni ses sœurs : tu serais changé en pierre ! Ah, tiens, je te confie ma faucille d'or, elle te sera utile.

Persée se confondit en remerciements. Il

enfila les sandales et s'envola avec une maladresse qui fit sourire Mercure. Le dieu des voleurs lui adressa un signe :

– Ne secoue pas les pieds si vite... le vol, c'est une question d'entraînement... Tu apprendras vite !

Persée, la joie au cœur, piqua vers le couchant : grâce aux dieux qui veillaient sur lui, il ne doutait plus de vaincre Méduse !

Traversant forêts et rivières, il rencontra les nymphes, jeunes divinités des bois et des eaux. Charmées par le courage et l'allure de ce jeune héros, elles lui indiquèrent le repaire des Gorgones.

Quand Persée, parvenu au milieu d'un désert, découvrit l'entrée de la caverne, il frissonna d'horreur : alentour, on ne voyait que des statues de pierre. C'étaient là tous ceux qui avaient affronté les Gorgones, et qui avaient été pétrifiés par leur regard. Jusque-là, Persée n'avait pas mesuré la difficulté de sa tâche : comment décapiter Méduse sans porter le regard sur elle ?

Néanmoins, il se risqua dans l'antre obscur en voletant. Il s'enfonça au cœur de la caverne où résonnaient des ronflements. Puis il aperçut un nœud de serpents qui se contorsionnaient en levant vers lui des têtes sifflantes. Aussitôt, il détourna le regard et murmura, le cœur battant :

– Les Gorgones sont assoupies... Les reptiles qui leur servent de chevelure vont leur révéler ma présence ! Je ne peux quand même pas tuer Méduse les yeux fermés. Ah, Minerve, soupira-t-il, déesse de l'intelligence, viens à mon aide, inspire-moi !

Une clarté illumina la grotte... et Minerve apparut, vêtue de sa cuirasse – et tout armée. Son regard était bienveillant.

– Je suis touchée par ta hardiesse, Persée. Tiens, je te confie mon bouclier. Affronte Méduse en te servant de son reflet !

Persée se retourna et comprit aussitôt : maintenant, il pouvait progresser à reculons vers les trois monstres : il tendait devant ses yeux le bouclier de la déesse, aussi lisse et poli qu'un miroir !

Déjà, les trois Gorgones s'agitaient dans leur sommeil. Avec leur corps recouvert d'écailles et les longs crocs pointus qui hérissaient leur gueule, elles étaient vraiment hideuses. Persée repéra vite Méduse, au centre ; elle était la plus jeune et la plus venimeuse des trois. Toujours en reculant et en se guidant sur le reflet du bouclier, il parvint jusqu'à la Gorgone au moment où elle s'éveillait. Alors, faisant volte-face, il brandit la serpe que lui avait confiée Mercure et la décapita d'un coup ! L'énorme tête se mit à gigoter et à tressauter à terre. Un instant, Persée ne sut que faire. Puis il s'empara de la besace que lui avaient donnée les Grées.

– Hélas, elle est trop petite ! Tant pis, essayons...

Dominant sa répugnance, il ramassa la tête. Miraculeusement, le sac s'agrandit, juste assez pour que Persée puisse y enfouir son butin. Après quoi la besace reprit sa taille.

Le héros n'eut pas le temps de savourer sa victoire : un bruit insolite l'alerta. Il aperçut le sang qui jaillissait à grands flots du corps décapité de Méduse. De ce bouillonnement rougeâtre surgissaient deux êtres fabuleux. D'abord, un géant apparut, une épée dorée à la main. Comme Persée reculait, l'autre le rassura :

– Merci de m'avoir fait naître, Persée. Mon nom est Chrysaor !

Du sang de Méduse se dégageait peu à peu une autre créature, encore plus extraordinaire : un cheval ailé, d'une blancheur éblouissante.

– Et voici Pégase, lui dit Chrysaor. Ah... prends garde ! Les sœurs de Méduse se sont réveillées ! Elles bloquent le passage ! Non... ne te retourne surtout pas !

Vite, Persée enfila le casque de Pluton. Il devint aussitôt invisible. Décontenancées, les Gorgones se mirent à chercher leur adversaire. Et Persée, les yeux à l'abri derrière le bouclier de Minerve, put ainsi se faufiler jusqu'à la sortie.

Dès qu'il enleva son casque, les sœurs de Méduse comprirent qu'elles avaient été dupées. Elles jaillirent hors de la caverne et se lancèrent à sa poursuite. Persée s'apprêtait à s'envoler avec ses sandales quand Pégase sortit de la grotte à son tour en hennissant.

D'un saut, le héros enfourcha le cheval ailé qui bondit dans les airs. Le visage fouetté par le vent, Persée rayonnait de bonheur, il avait vaincu Méduse et il chevauchait le plus fabuleux des coursiers ! Du sac qu'il avait en main, de nombreuses gouttes de sang s'échappaient. Chacune d'elles, en tombant sur le sol, se transformait en serpent. C'est pourquoi, aujourd'hui, le désert en compte autant.

La nuit suivante, Mercure apparut à Persée. Le héros remercia le dieu pour ses conseils et pour son aide ; il lui rendit la serpe et lui demanda de restituer aux trois Grées le casque de Pluton et les sandales ailées ; mais bien sûr, il garda le sac avec ce qu'il contenait...

Un soir, sur le chemin du retour et tandis qu'il franchissait une région aride et escarpée, Persée décida de faire halte. Peu après, un géant arriva. Cette fois, il s'agissait d'un colosse aussi grand qu'un volcan, il tenait drôlement les deux bras levés.

– Que fais-tu ici, étranger ? grogna-t-il. Sais-tu que tu es tout près du fameux jardin des Hespérides ? Vite, déguerpis !

– Je suis épuisé ! expliqua Persée. Laisse-moi dormir ici cette nuit.

– Pas question. Mon travail ne supporte la présence de personne !

Persée ne comprenait pas. Il voulut plaider sa cause.

– Quoi, tu oses insister ? grommela le géant en avançant un pied menaçant. Petite larve, je ne ferai de toi qu'une bouchée !

Alors, le héros sortit du sac la tête de la Gorgone dont le pouvoir, il le savait, était resté intact. Il la tendit au géant qui en resta... médusé[1] ! En une seconde, son corps s'était transformé en montagne de pierre. Persée s'écria :

– C'était Atlas ! J'ai pétrifié celui qui portait le ciel sur ses épaules !

Depuis ce jour, le géant est libéré de son fardeau. Et le poids du ciel est supporté par la montagne qui porte son nom.

Quand Persée aborda l'île de Sériphos, il courut jusqu'au palais se présenter devant le roi Polydecte. Ne voyant pas sa mère, il s'inquiéta. Le souverain, furieux, lui lança :

– Danaé s'est enfuie ! Elle refuse de m'épouser. Elle s'est réfugiée dans un temple avec mon frère Dictys, le pêcheur. Ils espèrent la protection des dieux. Je fais le siège de leur repaire, ils ne tiendront pas longtemps. Et toi, d'où viens-tu donc ?

---

1. Cette expression a justement pour origine le pouvoir du regard de la Gorgone.

– Sire, répondit Persée, j'ai accompli ce que vous m'avez demandé : je vous rapporte la tête de Méduse.

Incrédule, Polydecte éclata d'un méchant rire.

– Quoi ? Et elle tiendrait dans ce petit sac ? Tu prétends avoir tué la Gorgone ? Comment oses-tu ainsi te moquer de moi ?

– Ce sac est magique, dit Persée qui retenait mal sa colère. Il grandit et rapetisse en fonction de ce qu'on y met.

– La tête de Méduse, là-dedans ? ricana le roi. J'aimerais voir ça !

– À vos ordres, Sire : la voici.

Le héros saisit la tête de Méduse et la brandit face à Polydecte. Le roi n'eut le temps ni de répondre ni de s'étonner : il fut transformé en statue de pierre sur son trône. Et comme les soldats et les courtisans réunis allaient se jeter sur lui, Persée leur tendit la tête de la Gorgone, si bien qu'ils furent tous pétrifiés sur-le-champ !

Persée courut libérer sa mère et Dictys, son fidèle protecteur. Délivrés du tyran, les habitants de l'île de Sériphos voulurent que Persée règne à sa place.

– Non, leur répondit-il. Le seul trône légitime que je suis en droit de revendiquer est celui d'Argos, ma patrie. Je vais y retourner.

Le bruit des exploits du fils de Danaé était parvenu jusqu'à Acrisios : ainsi, sa fille et son petit-fils avaient survécu ! Pour échapper à la prophétie, Acrisios s'enfuit, il s'exila dans la ville de Larissa ; il tenait moins à son trône qu'à la vie.

C'est ainsi que Persée rejoignit Argos et, en l'absence de son aïeul, il régna. Une nuit, Minerve lui apparut. Le héros s'inclina devant la déesse ; il lui rendit son bouclier et le sac.

– Elle contient la tête de Méduse. Qui pourrait en faire un meilleur usage, toi qui es à la fois la déesse de la guerre et de la sagesse ?

– J'accepte ton présent, Persée, et je t'en remercie.

Minerve agrippa la chevelure de serpents et l'appliqua sur le bouclier qui avait permis de duper la Gorgone.

Depuis, la tête de Méduse orne l'armure de la déesse.

Pendant ce temps, à Larissa, le roi de la ville venait d'organiser des jeux. Toujours en exil, Acrisios, le père de Danaé, se rendit dans les arènes pour y assister. Il s'assit au premier rang. Aussitôt, il fut intrigué par un jeune athlète qui, avant de lancer un disque, voulait absolument reculer jusqu'au fond du stade.

– Que craint-il ? fit Acrisios en haussant les épaules.

– Il redoute de lancer le disque trop loin, expliqua son voisin, et ainsi de blesser un spectateur.

Acrisios sourit devant la prétention de l'athlète.

– Qui est-il, pour se croire aussi fort ?

– C'est le petit-fils de l'ancien roi d'Argos. Son nom est Persée.

De surprise et d'effroi, Acrisios se leva de son gradin. Mais là-bas, à l'autre extrémité du stade, l'athlète venait de lancer son disque... Le projectile vola jusqu'aux premiers rangs ; il s'abattit sur la tête d'Acrisios qui s'effondra, tué sur le coup.

Ainsi le héros Persée tua-t-il son grand-père, par accident.

Effondré par son acte, il fut réconforté par Danaé.

– Mon fils, affirma-t-elle, tu n'es pas responsable. Nul n'échappe à son destin. Le tien est glorieux. Et qui sait si tes enfants n'accompliront pas des exploits encore plus éblouissants que les tiens ?

Danaé ne se trompait pas : avec son épouse, la belle Andromède, Persée aurait une nombreuse descendance. L'une de ses petites-filles, Alcmène, serait même, comme Danaé, aimée de Jupiter. Et de cette union d'une mortelle et d'un dieu naîtrait alors le plus grand et le plus célèbre des héros : Hercule.

IV

Thésée

Quand la vie ne tient qu'à un fil...

Ce soir-là, Égée, le vieux roi d'Athènes, semblait si triste et si préoccupé que son fils Thésée lui demanda :

– Quelle figure vous faites, mon père... Un souci vous afflige ?

– Hélas ! Demain est le jour maudit où je dois, comme chaque année, envoyer sept jeunes filles et sept jeunes gens de notre ville au roi Minos, en Crète. Ces malheureux sont condamnés...

– Condamnés ? Pour expier quel crime doivent-ils donc mourir ?

– Mourir ? C'est bien pire : ils seront dévorés par le Minotaure !

Thésée réprima un frisson. Longtemps absent de Grèce, il n'était revenu que depuis peu dans sa patrie ; cependant, il avait entendu parler du Minotaure. Ce monstre, disait-on, possédait le corps d'un homme et la tête d'un taureau ; il se nourrissait de chair humaine !

– Mon père, empêchez cette infamie ! Pourquoi laissez-vous se perpétuer cette odieuse coutume ?

– Je le dois, soupira Égée. Vois-tu, mon fils, j'ai autrefois perdu la guerre contre le roi de Crète. Et depuis, je lui dois un tribut : chaque année, quatorze jeunes Athéniens servent de pâture à son monstre...

Avec la fougue de la jeunesse, Thésée s'écria :

– En ce cas, laissez-moi partir sur cette île ! J'accompagnerai les futures victimes. J'affronterai le Minotaure, mon père. Je le vaincrai.

Et vous serez libéré de cette horrible dette !

À ces mots, le vieil Égée frissonna et serra son fils contre lui.

– Jamais ! J'aurais trop peur de te perdre.

Autrefois, le roi avait déjà failli empoisonner Thésée sans le savoir ; c'était là une ruse de Médée, sa seconde épouse, qui détestait son beau-fils.

– Non. Je ne te laisserai pas partir ! D'ailleurs le Minotaure est réputé invincible. Il se cache au centre d'un étrange palais : le Labyrinthe ! Ses couloirs sont si nombreux et si savamment enchevêtrés que ceux qui s'y risquent n'en découvrent jamais la sortie. Ils finissent par tomber sur le monstre... qui les dévore.

Thésée était aussi têtu qu'intrépide. Il insista, se fâcha, puis usa de tant de câlineries et de persuasion que le vieux roi Égée, la mort dans l'âme, finit par céder.

Au matin, Thésée se rendit avec son père au Pirée, le port de d'Athènes. Ils étaient accompagnés des jeunes gens dont ce serait le dernier voyage. Les habitants regardaient passer le cortège ; certains gémissaient, d'autres tendaient le poing vers les émissaires du roi Minos qui encadraient le sinistre convoi.

Bientôt, la troupe parvint sur les quais où était accostée une galère aux voiles noires.

– Elles portent le deuil, expliqua le roi. Ah mon fils... si tu rentres vainqueur, n'oublie pas de les troquer contre de belles voiles blanches. Ainsi, je saurai que tu es vivant bien avant que tu n'accostes !

Thésée promit ; puis il serra son père contre lui et rejoignit les Athéniens dans le navire.

Une nuit, durant le voyage, Neptune, le dieu des mers, apparut en rêve à Thésée. Il souriait.

– Brave Thésée ! lui dit-il. Ta vaillance est celle d'un dieu. C'est normal : tu es mon fils au même titre que tu es celui d'Égée[1]...

1. La mère de Thésée avait été prise de force par Neptune la nuit de ses noces.

Thésée entendit pour la première fois le récit de sa fabuleuse naissance.

– À ton réveil, plonge dans la mer ! lui recommanda Neptune. Tu y trouveras un anneau d'or que le roi Minos a autrefois perdu.

Thésée émergea du sommeil. Il faisait grand jour. Au loin se devinaient déjà les rives de la Crète.

Alors, devant ses compagnons stupéfaits, Thésée se jeta à l'eau. Quand il toucha le fond, il aperçut un bijou qui brillait parmi les coquillages. Il s'en empara, le cœur battant. Ainsi, tout ce que lui avait déclaré Neptune en rêve était vrai : il était un demi-dieu !

Cette découverte dopa son courage et renforça sa volonté.

Quand le navire aborda le port de Cnossos, Thésée avisa dans la foule le souverain entouré de sa suite. Il alla se présenter :

– Salut à toi, ô puissant Minos. Je suis Thésée, fils d'Égée.

– J'espère que tu n'as pas fait tout ce chemin pour implorer ma clémence ? fit le roi en comptant avec soin les quatorze Athéniens.

– Non. Je n'ai qu'un vœu : ne pas quitter mes compagnons.

Un murmure parcourut l'entourage du roi. Méfiant, celui-ci examina le nouveau venu. En reconnaissant l'anneau d'or que Thésée portait au doigt, il se demanda, stupéfait, par quel prodige le fils d'Égée avait pu retrouver ce bijou. Méfiant, il grommela :

– Voudrais-tu affronter le Minotaure ? En ce cas, tu devras le faire à mains nues : dépose tes armes.

Parmi ceux qui accompagnaient le roi se trouvait Ariane, l'une de ses filles. Impressionnée par la témérité du prince, elle songeait avec épouvante qu'il allait bientôt la payer de sa vie. Thésée avait longuement observé Ariane. Certes, il était sensible à sa beauté. Mais il fut surtout intrigué par le travail d'aiguilles qu'elle avait en main.

– Drôle d'endroit pour tricoter, se dit-il.

Oui, Ariane tricotait souvent, cela lui permettait de réfléchir. Et sans quitter des yeux Thésée, une idée folle germait en elle...

– Venez manger et vous reposer, décréta le roi Minos. Demain, vous serez conduits dans le Labyrinthe.

Thésée se réveilla en sursaut : quelqu'un était entré dans la pièce où il dormait ! Il scruta l'obscurité et déplora qu'on lui ait retiré son épée. Une silhouette blanche se détacha de l'ombre. Un cliquetis familier d'aiguilles le renseigna sur l'identité du visiteur.

– Ne crains rien. C'est moi : Ariane.

La fille du roi alla jusqu'au lit, où elle s'assit. Elle saisit la main du jeune homme.

– Ah, Thésée, implora-t-elle, ne te joins pas à tes compagnons ! Si tu entres dans le Labyrinthe, tu n'en ressortiras jamais. Et je ne veux pas que tu meures...

Aux tremblements d'Ariane, Thésée devina

quels sentiments l'avaient poussée à le rejoindre ici cette nuit. Troublé, il murmura :

– Pourtant, Ariane, il le faut. Je dois vaincre le Minotaure.

– C'est un monstre. Je le déteste. Et cependant il est mon frère...

– Comment ? Que dis-tu ?

– Ah, Thésée, laisse-moi te raconter une bien singulière histoire...

La jeune fille s'approcha du héros pour lui confier :

– Bien avant ma naissance, mon père, le roi Minos, commit l'imprudence de duper Neptune : il lui fit le sacrifice d'un vilain taureau maigre et malade au lieu de lui immoler le magnifique animal que le dieu lui avait envoyé[1]. Peu après, mon père se maria avec la belle Pasiphaé, ma mère. Mais Neptune ruminait sa vengeance. En souvenir de l'ancien

---

1. Lire « Face au taureau du roi des mers », dans *Contes et Légendes - Les douze travaux d'Hercule.*

affront qui lui avait été fait, il fit perdre la tête à Pasiphaé et la rendit amoureuse... d'un taureau ! La malheureuse se fit même construire une carcasse de vache dans laquelle elle se dissimula pour s'unir à l'animal qu'elle aimait !

– Quelle horrible stratagème !

– La suite, Thésée, tu la devines, acheva Ariane en frissonnant : ma mère donna naissance au Minotaure. Mon père ne pouvait se résoudre à tuer ce monstre ; mais il voulut le cacher à jamais aux yeux de tous. Il fit appel au plus habile des architectes, Dédale, qui conçut le fameux Labyrinthe...

Choqué par ce récit, Thésée ne savait plus que dire.

– Ne crois pas, ajouta Ariane, que je veuille épargner le Minotaure. Ce dévoreur d'hommes mérite mille fois la mort !

– Alors je le tuerai.

– Si tu y parvenais, jamais tu ne trouverais la sortie du Labyrinthe.

– Eh bien tant pis !

Un long silence coula dans la nuit. Soudain, la jeune fille se serra contre le jeune homme et lui dit :

– Thésée ? Si je te livrais le moyen de retrouver la sortie du Labyrinthe, m'emmènerais-tu avec toi ?

Le héros ne répondit pas. Certes, Ariane était séduisante – et fille de roi. Il était venu jusqu'à cette île non pour y trouver une épouse, mais pour libérer son pays d'un fardeau.

– Je connais les habitudes du Minotaure, insista-t-elle. Je sais quelles sont ses faiblesses et comment tu pourrais en venir à bout. Mais cette victoire a un prix : tu m'enlèves et tu m'épouses !

– Soit. J'accepte.

Ariane fut surprise que Thésée accepte si vite. Était-il amoureux d'elle ? Ou se pliait-il à un simple marché ? Qu'importe !

Elle lui confia mille secrets qui lui permettraient de vaincre son frère le lendemain. Et au bruit de sa voix se mêlait l'entêtant cliquetis de ses aiguilles : Ariane n'avait pas cessé de tricoter.

Face à l'entrée du Labyrinthe, Minos ordonna aux Athéniens :

– Entrez ! C'est l'heure...

Pendant que les quatorze jeunes gens terrorisés pénétraient un à un dans l'étrange édifice, Ariane chuchotait à son protégé :

– Thésée, prends ce fil, et surtout ne le lâche pas ! Ainsi, nous serons reliés l'un à l'autre.

Elle tenait à la main la pelote de l'ouvrage qui ne la quittait jamais. Le héros saisit ce qu'elle lui tendait : un fil ténu, presque invisible. Si le roi Minos ne devina rien de leur manège, il comprit que ce garçon et sa fille avaient du mal à se séparer.

– Eh bien, Thésée, railla-t-il, aurais-tu peur ?

Sans répondre, le héros entra dans le couloir à son tour. Très vite, il rejoignit ses compagnons qui hésitaient devant une fourche.

– Qu'importe ! leur dit-il. Prenez à droite.

Ils aboutirent à un cul-de-sac, revinrent sur leurs pas, empruntèrent l'autre issue qui les mena à un nouvel embranchement de plusieurs couloirs.

– Engageons-nous dans celui du centre. Et ne nous séparons pas.

Bientôt, ils émergèrent à l'air libre ; aux murs du Labyrinthe avaient succédé d'infranchissables taillis.

– Qui sait ? murmura l'un des Athéniens. Si le destin nous offrait la chance de ne pas aboutir au Minotaure... mais à la sortie ?

Hélas, Thésée savait qu'il n'en serait rien : Dédale avait conçu son édifice de telle sorte qu'on finissait toujours par arriver au centre !

C'est exactement ce qui se produisit. Vers le soir, alors que ses compagnons se plaignaient de la fatigue et de la faim, Thésée leur ordonna soudain :

– Arrêtons-nous ! Écoutez. Et puis... ne sentez-vous rien ?

Les murs leur renvoyaient l'écho de grognements impatients. Et dans l'air flottait une forte odeur de charogne.

– Nous arrivons, murmura Thésée. L'antre du monstre est proche ! Attendez-moi, et surtout ne bougez pas d'ici !

Il partit seul, le fil d'Ariane toujours en main.

Soudain, il aboutit à une esplanade circulaire semblable à une arène. Là se tenait un monstre encore plus effrayant que tout ce qu'il avait imaginé : un géant à la tête de taureau, dont les bras et les jambes possédaient des muscles noueux comme des troncs de chêne. En voyant entrer Thésée, il meugla un effroyable cri de satisfaction gourmande. Sous ses naseaux, sa gueule ouverte bavait. Il baissa sa tête bovine et poilue, pointant ainsi des cornes acérées vers sa proie. Puis il s'élança vers sa future victime en rabotant le sable de ses pieds cornus.

Le sol était jonché d'ossements. Thésée ramassa le plus gros, il le brandit. Au moment où le monstre allait l'embrocher, il s'écarta pour lui asséner sur le mufle un coup suffisant pour assommer un bœuf... mais pas assez violent pour tuer un Minotaure !

Le monstre hurla de douleur. Sans lui laisser le temps de reprendre ses esprits, Thésée agrippa les deux cornes à pleines mains pour mieux bondir sur les épaules poilues. Ainsi juché, il referma ses jambes en ciseaux sur le cou de son ennemi ; et, de toutes ses forces, il serra ! Privé de respiration, le monstre, furieux, se débattit. Il ne pouvait encorner cet adversaire qui faisait désormais corps avec lui ! Il gigota, tomba, roula à terre. Malgré le sable qui s'infiltrait dans ses oreilles et dans ses yeux, Thésée ne lâchait pas prise, comme Ariane le lui avait recommandé.

Peu à peu, les forces du Minotaure déclinèrent. Bientôt, il jeta un épouvantable meuglement de rage, eut un sursaut... et rendit le dernier soupir ! Alors, Thésée s'écarta de l'énorme chose inerte. Son premier réflexe fut d'aller récupérer le fil d'Ariane.

Le silence insolite et prolongé avait attiré ses compagnons.

– Incroyable... Tu as vaincu le Minotaure ! Nous sommes sauvés !

Thésée réclama leur aide pour arracher les cornes du monstre.

– Ainsi, expliqua-t-il, Minos saura qu'il n'a plus de tribut à réclamer

– À quoi bon ? Certes, nous avons été épargnés. Mais une mort lente nous attend : jamais nous ne retrouverons la sortie.

– Si, affirma Thésée en leur montrant le fil. Regardez !

Fébriles, ils se mirent en route. Grâce au fil, ils refaisaient à l'envers le long et tortueux trajet qui les avait menés jusqu'au Minotaure. Thésée avait du mal à calmer son impatience. Il se demandait quel dieu bienveillant avait soufflé cette idée géniale à Ariane. Bientôt, le fil se tendit : à l'autre bout, quelqu'un le tirait avec autant de hâte que lui.

Enfin, après plusieurs heures, ils émergèrent à l'air libre. Le héros fourbu jeta les cornes sanguinolentes du Minotaure à terre, près de l'entrée.

– Thésée... enfin ! Et tu as réussi !

Éperdue d'amour et de joie, Ariane se précipita vers lui. Ils s'étreignirent. La fille de Minos eut un regard attendri pour l'énorme écheveau désordonné que Thésée avait encore en mains.

– Tout de même, reprocha-t-elle en souriant, tu aurais pu songer à mieux le rembobiner...

L'aube approchait. Accompagnés d'Ariane, Thésée et ses compagnons se faufilèrent dans les rues de Cnossos et rejoignirent le port.

– Percez la coque de tous les navires crétois ! ordonna-t-il.

– Pourquoi ? s'interposa Ariane, étonnée.

– Tu t'imagines que ton père ne va pas réagir ? Qu'il va laisser s'enfuir avec sa fille celui qui a tué l'enfant de son épouse ?

– C'est vrai, admit-elle. Et je me demande bien quelle punition il va infliger à Dédale, puisque son Labyrinthe n'a pas protégé le Minotaure comme mon père l'espérait[1] !

Quand le soleil se leva, la galère de Thésée avait quitté la Crète. Elle cinglait joyeusement et à vive allure vers la Grèce...

Pendant le voyage du retour, Thésée fit un songe étrange : cette fois, c'est un autre dieu, Bacchus, qui lui apparut.

– Il faut, ordonnait-il, que tu abandonnes Ariane sur une île. Elle ne sera pas ton épouse. J'ai pour elle d'autres projets plus glorieux.

– Cependant, bredouilla Thésée, je lui ai promis...

– Je sais. Mais tu dois obéir. Ou craindre la colère des dieux.

Quand Thésée s'éveilla, il hésitait encore. Mais le lendemain, la galère dut affronter une

1. Minos condamnera Dédale et son fils Icare à rester prisonniers du fameux Labyrinthe. Lire « Les ailes d'Icare », dans *Contes et Récits de la conquête du Ciel et de l'Espace,* du même auteur.

tempête si violente que le héros y vit un évident signe divin. Il hurla à la vigie :

– Il nous faut relâcher au plus vite ! Ne vois-tu pas la terre au loin ?

– Si ! Une île est en vue... Ce doit être Naxos.

Ils y abordèrent et attendirent que les éléments se calment.

La tempête s'apaisa dans la nuit. Au petit matin, alors qu'Ariane dormait encore sur la grève, Thésée rassembla ses hommes. Il ordonna qu'on reparte au plus tôt. Sans la jeune fille.

– C'est ainsi ! dit-il en voyant le visage plein de reproches de ses compagnons.

Les dieux n'agissent pas sans motif. Et Bacchus avait de bonnes raisons pour que Thésée abandonne Ariane : séduit par sa beauté, il voulait en faire son épouse ! Oui, il avait décidé qu'il aurait d'elle quatre enfants, et qu'elle siégerait bientôt avec lui sur l'Olympe. En signe d'alliance divine, il s'était même promis de lui faire cadeau d'un diadème qui donnerait naissance à l'une des plus belles constellations...

Bien sûr, Thésée ignorait les intentions de ce dieu amoureux et jaloux. Cinglant à nouveau vers Athènes, il s'accusait d'ingratitude. Préoccupé, il en oublia la recommandation que son père lui avait faite...

Posté au sommet du phare qui se dressait à l'entrée du Pirée, le guetteur hurla, la main en visière au-dessus des yeux :

– Un navire est en vue ! Oui... c'est la galère qui revient de Crète. Vite, allez prévenir le roi !

Moins de trois kilomètres séparent Athènes de son port. Fou d'espoir et d'inquiétude, le vieux roi Égée accourut sur les quais.

– Les voiles ? demanda-t-il en levant la tête vers le guetteur. Peux-tu apercevoir les voiles et me dire quelle en est la couleur ?

– Hélas, grand roi, elles sont noires.

Le vieil Égée ne voulut pas en savoir davantage. Éperdu de douleur, il se jeta à la mer et s'y noya.

Quand la galère aborda, on venait de ramener le corps du vieil Égée sur le rivage. Thésée se précipita vers lui. Il devina aussitôt ce qui était arrivé et se maudit pour sa négligence.

– Mon père ! Non... Je suis vivant ! Revenez à vous, par pitié !

Mais il était trop tard : Égée était mort. Le chagrin qui submergea Thésée lui fit d'un coup oublier sa récente victoire sur le monstre. Amer, le héros songea qu'il venait de perdre une épouse et un père.

– Désormais, Thésée, tu es roi ! firent les Athéniens en s'inclinant.

Le nouveau souverain se recueillit devant la dépouille d'Égée. Solennellement, il décréta :

– Que cette mer, désormais, porte le nom de mon père adoré !

Et c'est depuis ce jour funeste où le vainqueur du Minotaure revint de Crète que la mer qui borde la Grèce porte le nom d'Égée.

Entre-temps, Ariane s'était réveillée sur l'île désertée. Dans le jour naissant, elle aperçut au loin les sombres voiles de la galère qui s'éloignait. Incrédule, elle balbutia :

– Thésée ! Est-il possible que tu m'abandonnes ?

Elle suivit le navire des yeux jusqu'à ce que l'horizon l'engloutisse. Elle comprit alors qu'elle ne reverrait jamais Thésée. Seule sur la plage de Naxos, elle laissa libre cours à son chagrin ; elle gémit longuement sur l'ingratitude des hommes.

Puis Ariane retrouva sur la grève son ouvrage abandonné.

Elle reprit ses aiguilles. Et en attendant que s'accomplisse le prodigieux destin qu'elle ignorait, elle se remit au travail.

Tout en pleurant, elle tricotait.

V

HERCULE

UN HÉROS AMOUREUX

CE MATIN-LÀ, Omphale, la reine de Lydie, traversait en grand équipage la place du marché aux esclaves. Son attention fut soudain attirée par un attroupement. Juché sur une estrade, un marchand richement vêtu haranguait la foule ; il désignait un colosse enchaîné, presque nu, agenouillé à ses pieds.

– Eh bien, pas d'amateur ? Le prix que je demande vous paraît-il trop élevé ?

Omphale ordonna à ses porteurs de la mener

jusqu'aux deux hommes. L'esclave, surtout, l'intriguait : la taille de ses muscles et sa beauté sculpturale donnaient à son humilité une étrange noblesse. Un esclave, ce colosse qui avait posé à terre son énorme massue et cette tunique faite de la peau d'un lion ? Elle n'en croyait pas un mot. Elle aurait même juré que...

– Non, murmura-t-elle. C'est impossible !

En voyant leur reine approcher, les badauds s'écartèrent en se prosternant. Le marchand, lui, se contenta d'un bref hochement de tête. On eût dit qu'il voulait traiter la reine en égal.

– Qui es-tu, étranger ? demanda-t-elle sèchement. Et combien veux-tu de ton esclave ?

– Oh, une misère, grande souveraine ! Et quand tu sauras que cet homme est Hercule en personne...

Ainsi, elle ne s'était pas trompée ! Son intuition la poussait à croire que ce marchand disait la vérité. Une vérité difficile à admettre. Pour balayer ses derniers doutes, elle ironisa :

– Hercule, vraiment ? Le vainqueur du lion

de Némée ? Le héros qui a tué l'hydre de Lerne, dompté le taureau du roi Minos ?...

– ... et qui a capturé Cerbère, le chien des Enfers ! Eh oui, noble reine, c'est bien lui. Songe aux services qu'il pourrait te rendre...

Omphale l'imaginait aisément. Depuis des années, son royaume était infesté par des hordes de brigands qui rançonnaient les voyageurs et empêchaient le développement du commerce. Si le marchand ne mentait pas, le célèbre héros ne ferait qu'une bouchée de ces malfaiteurs ! L'occasion était inespérée. Presque trop belle. Car la reine doutait encore.

– Je ne te crois pas, marchand. Si c'est là l'invincible Hercule, pourquoi ne brise-t-il pas ses chaînes ? Et comment as-tu fait pour le capturer ?

Le marchand s'approcha de la reine et lui confia à voix basse :

– Hercule n'est prisonnier que de lui-même, grande reine. Il a commis un nouveau crime... Sais-tu qui est Eurystos ?

– Oui, répondit Omphale. Le plus habile des archers ! N'a-t-il pas enseigné son art à Hercule lui-même ?

– Exact. Eh bien récemment, Eurystos a promis de donner sa fille Iola à celui qui se révélerait meilleur tireur que lui. Hercule a relevé le défi... et il a prouvé que l'élève était meilleur que le maître !

– Est-ce là son seul forfait ?

– Attends : vexé, Eurystos lui a refusé la main de sa fille. Imagine la fureur d'Hercule ! Aussi, quand le propre fils de l'archer est venu demander un service à notre héros, celui-ci a vengé l'affront qui lui avait été fait en précipitant le quémandeur par-dessus les murs de la ville de Tirynthe !

Omphale avait entendu parler de l'incident. La susceptibilité et les colères d'Hercule étaient aussi célèbres que sa force.

– Aussi, poursuivit le marchand, le coupable s'est rendu à Delphes pour y interroger les dieux sur la façon d'expier son meurtre.

Apollon l'a condamné à devenir esclave une année entière. Le montant de sa vente sera remis à Eurystos.

– Soit, murmura Omphale. Mais si je paie, Hercule se mettra-t-il à mon service sans rechigner ni s'enfuir ?

– Bien sûr ! S'il refuse d'être ton esclave pendant un an, il ne sera pas lavé de son crime ! Hercule sait bien qu'on ne peut pas tromper les dieux. Voilà pourquoi, noble souveraine, tu ne risques rien en l'achetant ! Au contraire, tu accompliras une bonne action puisque ton argent le libérera de sa dette.

Omphale rendait grâce aux dieux d'avoir mis ce marchand sur sa route ! Le héros enchaîné leva alors vers elle un regard qui fit chavirer son cœur. Ainsi, le plus bel athlète de toute la création allait se mettre à son service...

– Combien en veux-tu ? demanda-t-elle d'une voix qu'elle tentait d'affermir.

Le prix était élevé : celui d'une centaine

d'esclaves ordinaires. Mais pour Hercule, Omphale aurait donné mille fois plus.

– Paye ce marchand ! ordonna-t-elle en se tournant vers son régisseur. Et toi, approche... Tu es donc Hercule ?

– Oui. Pour te servir, grande reine.

Le héros se releva pour avancer ; et ses liens de métal tombèrent à ses pieds. La foule assemblée murmura devant ce prodige. Troublée, Omphale se tourna vers le marchand pour lui demander :

– Au fait, et toi, qui es-tu ?

Mais l'homme avait disparu. Oh, il ne s'était pas éclipsé parmi les badauds, non : il s'était littéralement volatilisé ! Hercule, avec un triste sourire, révéla la vérité à la reine :

– Comment, Omphale, tu ne l'avais pas reconnu ? C'était le dieu des marchands... Eh oui : Mercure en personne !

Comme la reine de Lydie l'avait espéré, il ne fallut à Hercule que quelques semaines pour débarrasser la région de ses brigands. En fait, la réputation d'Hercule faisait autant d'effet que sa bravoure et sa force : le bruit de sa présence dans le royaume s'était répandu et, très vite, les malfaiteurs rescapés jugèrent plus prudent d'aller commettre leurs méfaits ailleurs !

Un soir, Hercule vint s'agenouiller devant le trône d'Omphale.

– Eh bien c'est fait, noble souveraine : j'ai accompli ma mission. Quelle nouvelle tâche exiges-tu de moi ?

La reine était très embarrassée. Comment utiliser Hercule ? Lui demander de nettoyer ses écuries ? De détourner le cours d'un fleuve ? De venir à bout d'un monstre ? Certes, le héros serait venu à bout de tous ces exploits, il en avait maintes fois fait la preuve[1]. Mais Omphale n'avait aucun travail extraordinaire à demander à cet esclave exceptionnel.

1. Lire *Contes et Légendes – Les douze travaux d'Hercule,* du même auteur.

Elle ne se lassait pas de répéter : « Il est à moi, il m'appartient, il est à mon service... » Pour confirmer cette évidence, et puisque le silence de la reine se prolongeait, Hercule releva les yeux vers elle et déclara :

– Commande, grande reine. J'obéirai.

– Eh bien, donne-moi donc cette peau de lion qui te sert de tunique.

Stupéfait, Hercule hésita un long moment ; puis, à contrecœur, il se dévêtit et tendit à la reine la dépouille du lion de Némée. Omphale n'avait exigé ce vêtement que pour mieux admirer le corps de son esclave. Elle murmura :

– Tu es beau, Hercule. Et tu me plais.

Confus de se retrouver dévêtu, le héros baissa la tête devant la reine qui le détaillait.

– Et moi ? demanda-t-elle, comment me trouves-tu ?

– Tu es... tu es très belle, Omphale, murmura-t-il sans bouger.

Hercule n'avait jamais été un séducteur. Il

aurait préféré affronter les monstres les plus dangereux plutôt qu'une situation aussi embarrassante.

– Comment peux-tu en être sûr ? Tu ne m'as même pas regardée !

En observant la peau du lion posée devant elle, la reine eut soudain l'envie de la revêtir. Prestement, elle enleva sa robe. À cet instant, Hercule, qui attendait toujours des ordres, releva les yeux. Leurs regards se croisèrent un instant.

– Maintenant, j'en suis certain, murmura Hercule en rougissant, tu es très belle, Omphale.

La reine se contenta de rire ; puis elle posa sur elle l'énorme pelage du lion et l'agrafa sur ses épaules avant de s'admirer dans un miroir de cuivre.

– J'ai une idée, Hercule : nous allons échanger nos vêtements. Mets ma robe !

Comme le héros se demandait s'il s'agissait d'une plaisanterie, elle ajouta d'une voix plus sèche :

– C'est un ordre, Hercule, obéis !

De plus en plus décontenancé, il enfila le vêtement de la reine, non sans devoir le déchirer pour qu'il s'ajuste. En apercevant son reflet dans le miroir, il réprima sa colère : heureusement, personne n'assistait à cette humiliation. Les douze travaux qu'il avait autrefois accomplis lui paraissaient bien légers à côté de cette nouvelle épreuve !

Satisfaite, Omphale revint s'asseoir sur le trône.

– Distrais-moi, Hercule. Sais-tu chanter ? Vas-tu danser pour moi ?

– Chanter ? Danser ? Écoute, noble Omphale, je suis un guerrier ! Je... je peux te raconter mes exploits !

– Ah, quelle bonne idée ! Eh bien je t'écoute.

Alors, pendant de longues heures, Hercule raconta : il expliqua comment il était venu à bout des oiseaux du lac de Stymphale ; il relata sa longue poursuite de la biche du mont Ménale... Attentive, éperdue d'une admiration qu'elle avait peine à contenir, Omphale prêta l'oreille aux récits du héros qui se tenait accroupi au pied du trône, toujours vêtu de son habit de femme. La reine ordonna à ses suivantes d'apporter un rouet ; puis elle se mit à filer la laine sans rien perdre des paroles de son compagnon.

Le soir venu, elle eut un long soupir et déclara :

– Quelles fabuleuses aventures ! Hercule, j'aimerais récompenser ta vaillance... et ta patience aussi.

Elle réfléchit, jeta un coup d'œil sur elle et, soudain, ôta de l'un de ses doigts une bague ornée d'un magnifique diamant.

– Elle est à toi. Eh bien prends-la, Hercule !

Indécis, le héros finit par accepter. Il essaya d'enfiler la bague. C'est tout juste s'il put la glisser à son petit doigt.

Le lendemain, la reine exigea d'Hercule qu'il raconte la suite de ses exploits. Il s'y plia de bonne grâce ; cette fois, pour le remercier, elle lui offrit son collier de perles.

– Omphale, se défendit-il, c'est trop. Et puis... c'est là encore un bijou de femme.

– Comment ? Veux-tu dire qu'il n'est pas digne de toi ? Oublies-tu qu'une reine l'a porté ?

En colère, la souveraine ajusta mieux sur ses épaules la peau du lion de Némée ; puis elle s'empara de l'énorme massue abandonnée près de son trône. Mais l'arme était si lourde qu'elle ne put la soulever. Elle comprit qu'il lui faudrait dominer son esclave avec d'autres moyens...

Ils s'affrontèrent du regard. Hercule s'attendait à un ordre – il n'aurait pu s'y soustraire ; mais d'une voix douce, la reine déclara :

– Hercule, cela me ferait tellement plaisir que tu portes mon collier.

Cette invitation le jeta dans l'embarras. Il ne put résister au regard langoureux qu'Omphale lui jeta. Et il enfila le collier autour de son cou.

Au fil des jours et des semaines, le cœur du

héros s'amollit. Sa rudesse s'émoussa. Privé des épreuves physiques et des combats qui entretenaient sa vigueur, Hercule finit même par prendre goût à l'inaction et à la paresse. Sans même y prendre garde, il s'attachait à cette reine farouche qui avait entrepris de le dompter en alternant cruauté et douceur.

Un jour, comme Omphale tardait à le faire appeler, il se présenta, impatient, à la salle du trône. La souveraine était entourée de ses suivantes, elles bandaient l'un de ses doigts.

Il se précipita, éperdu d'inquiétude :

– Omphale... tu es blessée ?

– Oh, ce n'est rien, dit-elle en désignant son rouet : je me suis piquée à la pointe de ma quenouille.

Hercule saisit la main de la reine, l'embrassa et effaça de ses lèvres une dernière trace de sang. Attendrie, Omphale ordonna à ses domestiques de partir.

– Le plus triste, soupira-t-elle, c'est que je

ne pourrai pas finir cet ouvrage.

– Sois sans crainte, dit Hercule en se précipitant vers le rouet, je l'achèverai pour toi.

Sans rechigner, le héros saisit la quenouille et se mit à filer. Au bout d'un long moment, il s'aperçut qu'Omphale l'observait. Émue, la reine plongea son regard dans celui du héros agenouillé.

– Hercule, murmura-t-elle, à présent je sais que je t'aime.

– Et moi, répondit-il, j'ai bien peur de t'aimer aussi.

– Tu as peur ? Que redoutes-tu ?

– Désormais, je ne crains que moi-même.

Les mois avaient passé. Et Omphale voyait avec inquiétude approcher le moment où son prisonnier recouvrerait sa liberté.

– Hercule, je ne veux plus que tu sois mon esclave. Mais je ne veux pas non plus te perdre... épouse-moi !

Le héros devinait que ce serait là le véri-

table esclavage. Mais il aimait Omphale.

Il l'épousa.

Une nuit, le dieu Mercure apparut en rêve à Omphale ; il était vêtu du même habit de marchand que le jour où elle l'avait aperçu sur la place. Suspendu dans les airs grâce à ses sandales ailées, il eut un regard bienveillant pour la reine et lui déclara :

– Omphale, le moment est venu de te séparer de ton esclave.

– Hercule n'est plus mon esclave ! répondit-elle. Il est devenu mon époux et je l'aime. Nous ne pouvons plus nous quitter.

– Cependant, il le faut, Omphale ! N'as-tu pas obtenu tout ce que tu désirais ? Tu as apprivoisé le plus farouche des héros, tu as soumis le plus vaillant des demi-dieux... Désormais, il doit poursuivre sa tâche. Si tu l'aimes d'un amour véritable, tu dois le convaincre de partir.

– Mercure... sais-tu bien ce que tu me demandes ?

– Oui Omphale. Mais c'est là l'ordre des dieux ! Et la seule façon pour toi d'aider Hercule à accomplir son destin.

La reine de Lydie s'éveilla. Longtemps, elle observa Hercule endormi. Le dialogue qui l'avait opposée à Mercure pendant la nuit avait l'amertume de la réalité ; le rêve, c'était sans doute l'année qui venait de s'écouler.

Quand Hercule ouvrit les yeux, il vit qu'il était seul. Il courut jusqu'à la salle du trône où Omphale l'accueillit froidement.

– Qu'ai-je donc fait pour mériter ton courroux ? fit-il, stupéfait.

– Rien. Je crois qu'il est préférable que nous nous séparions, Hercule. Ah... je crois que ceci t'appartient.

Elle se pencha et lui rendit la peau du lion et la massue. Il s'étonna :

– Attends... dois-je comprendre que tu me congédies ? Après m'avoir séduit, épousé, tu me renvoies comme un domestique ?

– Oui. Et je te conseille de me laisser tous les bijoux que tu portes. Si tu savais comme tu as l'air ridicule !

Elle se força à rire. Puis elle le chassa de la salle du trône et s'obligea à le traiter à nouveau comme un esclave.

Hercule était très décontenancé. Mais après avoir revêtu la peau du lion de Némée et éprouvé à nouveau sous sa main le poids de sa lourde massue, il sentit, de jour en jour, renaître en lui une vigueur et une volonté qu'il avait cru à jamais perdues. Cependant, l'amour qu'il portait à Omphale avait bien du mal à s'estomper.

Un matin, il se leva le premier. Le cœur gros, il observa son épouse endormie sans pouvoir se résoudre à la quitter.

– Omphale, murmura-t-il, faut-il vraiment que je parte ?

Alors, la reine se redressa. En guise d'adieu, elle caressa la joue de son héros et lui dit en le regardant droit dans les yeux :

– Oui. C'est là le dernier ordre que tu recevras de moi, Hercule : pars, ne m'aime plus, oublie-moi.

– Je peux partir, Omphale. Mais ne plus t'aimer, t'oublier... comment faire ?

– Il le faut.

Hercule obéit et partit.

Ce fut peut-être là le plus difficile de tous ses exploits, mais il parvint à oublier Omphale. Sans doute obtint-il pour cela l'aide des dieux qui veillaient sur lui.

Désormais seule dans son palais, la reine de Lydie resta inconsolable. Voir partir Hercule était pour elle bien pire que de le savoir mort. Car le héros vivrait, il aimerait encore.

Mais nul dieu ne vint aider Omphale à oublier son amour.

VI

ŒDIPE

CELUI QUI, FUYANT SON DESTIN, N'A FAIT QUE LE PRÉCIPITER

ÉCOUTE...

Écoute la terrible histoire de celui que les dieux, avant même sa naissance, avaient condamné à tuer son père et à épouser sa mère !

Voilà : tout commence à Thèbes, la ville dont Laïus est le roi. Un jour, Jocaste, sa jeune épouse, lui apprend qu'elle attend un enfant. Alors, Laïus se rend au sanctuaire de Delphes.

Connais-tu le sanctuaire de Delphes ? Imagine un temple entouré d'étranges fumerolles... Là, une vieille femme sert d'intermédiaire entre les dieux et les hommes, c'est la Pythie ! Oui, la Pythie répond à ceux qui l'interrogent, elle révèle parfois leur origine et plus souvent leur avenir.

– Je veux savoir, lui demande alors Laïus, quel glorieux destin sera celui de notre enfant.

La Pythie lève au ciel un regard halluciné. Elle marmonne :

– Il vous naîtra un fils qui tuera son père et qui épousera sa mère !

Laïus, épouvanté, croit avoir mal entendu. Il voudrait hurler :

– Non, c'est impossible, tu te trompes !

Mais la Pythie ne peut mentir. Et quel humain, fût-il roi de Thèbes, pourrait contrecarrer la volonté des dieux ?

Désespéré, le roi revient à Thèbes. La vérité est trop horrible pour qu'il puisse l'ébruiter ni même la révéler à son épouse. En secret, il se jure de tout faire pour que cette prédiction jamais ne s'accomplisse !

Peu après, la reine Jocaste donne naissance à un fils. C'est un joli bébé joyeux et plein de vie.

– Comment l'appellerons-nous ? demande-t-elle à son époux.

Sans répondre, le roi s'éloigne avec le nouveau-né. À quoi bon lui donner un nom, il ne faut pas qu'il vive ! Laïus fait venir le capitaine de sa garde. Il lui ordonne :

– Prends ce bébé. Emporte-le loin d'ici. Tue-le. Puis laisse les animaux dévorer son cadavre. Obéis sans poser de questions !

Le capitaine s'incline ; le bébé dans les bras, il quitte le palais. C'est un rude soldat. Tuer ? C'est son métier. Mais voilà : tandis que son cheval parcourt la plaine au galop, le nourrisson se met à geindre et à pleurer. A-t-il faim ? A-t-il froid ? Devine-t-il le sort qu'on lui réserve ? Alors, le capitaine sent son cœur faiblir, il accélère l'allure et dirige sa monture vers le mont Cithéron, qu'il gravit. Arrivé au sommet, il s'arrête. Là, un vent froid souffle sur la végétation aride.

Le capitaine dégaine son épée, les pleurs du bébé redoublent. Ce soldat intrépide ne reculerait pas, seul, devant une armée ennemie. Ici il répugne à accomplir ce lâche assassinat. Il soupire :

– Non. Décidément, je ne peux pas... Laissons donc les fauves se charger de cette méchante besogne ! Personne n'en saura rien.

Il perce les pieds du bébé, arrache un jonc, le passe dans les trous sanglants et lie ainsi les chevilles. Il suspend l'enfant tête en bas à une branche. Puis il saute en selle et repart vers Thèbes sans se retourner.

Ce jour là, le berger Phorbas et ses compagnons font paître leurs troupeaux sur les flancs de ce mont Cithéron... Phorbas est loin de sa patrie, Corinthe. S'il a accompli tant de chemin, c'est pour trouver au-delà de l'isthme une herbe plus drue et plus verte. Bien sûr, son attention est vite attirée par d'étranges vagissements et les aboiements furieux de ses chiens. Il accourt et découvre, stupéfait, le bébé ainsi attaché et suspendu.

– Mon pauvre mignon ! Qui t'a donc abandonné à ce triste sort ?

Pris de pitié, Phorbas délivre l'enfant dont les pieds, percés, sont très enflés. Et comme ses cris redoublent, le berger va traire l'une de ses brebis pour donner du lait au nourrisson affamé.

– À qui peut-il appartenir ? demande-t-il à ses compagnons.

– Que crois-tu, Phorbas ? s'exclament les autres. C'est un enfant abandonné ! Ses parents ont voulu s'en débarrasser.

Voilà Phorbas chargé d'un orphelin ! Qu'en faire ? Un mois plus tard, quand les bergers rentrent au pays, Phorbas emmène le bébé. Gavé de lait de brebis, il gazouille et sourit.

En arrivant en vue de Corinthe, Phorbas croise sa reine en personne. Elle s'étonne de voir ce berger chargé d'un nouveau-né.

– Si mes chiens ne l'avaient pas découvert, il serait mort, explique Phorbas. Mais je ne sais que faire de lui...

La reine de Corinthe n'a jamais pu avoir d'enfant, elle est stérile. Si elle persuade ses sujets que ce bébé est le sien, le trône aura un successeur !

– Eh bien moi, je l'élèverai, lui dit la reine à voix très basse. Tiens, Phorbas, voilà de quoi dédommager ta peine et payer ton silence !

Revenue au palais, elle tend le nourrisson à son mari, Polybe.

– Ce bébé nous est envoyé par les dieux ! s'écrie le souverain, ravi. Tu as bien fait de l'acheter à Phorbas. Nous en ferons un prince.

– Comment allons-nous l'appeler ?

– Œdipe, répond Polybe, puisque ce nom signifie *pieds enflés*.

Au palais de Corinthe, Œdipe grandit en sagesse et en beauté. À dix-huit ans, c'est un jeune homme qui possède toutes les qualités – même s'il est parfois impulsif et orgueilleux, comme le sont souvent les princes. Ses parents sont très fiers de lui.

Mais une méchante rumeur circule en ville : le futur roi de Corinthe ne serait pas le vrai fils des souverains ! D'abord, Œdipe ne prête pas d'attention à ces ragots. À la longue, agacé par leur insitance, il interroge le vieux Polybe.

– Voyons, Œdipe, bien sûr que tu es notre fils, unique et chéri !

Mais le doute niche désormais dans l'esprit d'Œdipe comme un ver ronge lentement un fruit. Un jour, le jeune homme déclare :

– Je vais interroger les oracles ! Je veux savoir la vérité...

Delphes n'est qu'à une semaine de marche, la distance est vite franchie. Admis dans le sanctuaire, Œdipe se retrouve face à la Pythie. Mais sans éclairer Œdipe sur son passé, les dieux, par la bouche de la vieille femme, lui révèlent son avenir :

– Tu es promis à un destin auquel tu ne peux échapper : tu finiras par tuer ton père et par épouser ta mère...

Œdipe est épouvanté ! Comment empêcher que de telles horreurs s'accomplissent ?

– Je ne reviendrai jamais à Corinthe ! décide-t-il. Je ne reverrai jamais mes parents. Je mettrai entre eux et moi une telle distance que ces prédictions ne pourront se réaliser !

Le même soir, Œdipe prend la route.

Mais en croyant s'éloigner du lieu de sa naissance, il ne fait que s'en approcher. Et en fuyant ses parents adoptifs, il va à la rencontre de ceux qui l'ont fait naître...

Le lendemain, tandis qu'il pénètre en Béotie, Œdipe s'engage dans l'étroit défilé qui mène à la cité de Daulis. Soudain, il aperçoit devant lui un équipage : c'est un char entouré d'une escorte de soldats.

– Place ! lui ordonnent-ils.

Mais voilà : Œdipe est fils de roi. Et d'instinct, un prince n'obéit pas.

– Doucement, dit-il sans s'écarter. Vous ignorez qui je suis.

Irrité par ce contretemps, le vieil homme assis dans le char se lève. Il apostrophe cet inconnu qui refuse de céder le passage. Outré par cette impolitesse, Œdipe répond par une insulte.

– Oses-tu t'opposer à moi ? fait le vieillard en dégainant son épée. Non, ajoute-t-il vers ses soldats qui veulent s'interposer, faites avancer mon char. Et laissez-moi donner une leçon à ce freluquet !

Le convoi s'ébranle ; et avant qu'Œdipe ait pu s'écarter, une roue lui passe sur le pied. Or, les pieds d'Œdipe sont fragiles.

– Maudit vieillard ! crie-t-il en esquivant le coup qui lui est destiné.

Du tranchant de la main, il frappe à la nuque son assaillant qui s'écroule sur le sol. Les soldats bondissent – les uns pour secourir leur maître, les autres pour se lancer à la poursuite de l'agresseur.

Mais Œdipe est déjà loin ! Profitant de la confusion, il s'est élancé sur les flancs du défilé. Ça y est, il a disparu...

– Malheur sur nous ! s'écrie l'un des soldats. Notre roi est mort !

Le vieillard, en effet, ne se relèvera pas : Œdipe l'a tué.

Il ignore que cet homme s'appelle Laïus, qu'il s'agit du roi de Thèbes et qu'il vient d'assassiner son père.

Les jours et les semaines passent. Œdipe approche de Thèbes. Sur sa route, il ne croise que des voyageurs affolés. Il arrête l'un d'eux qui lui explique :

– Ah, jeune étranger, ne va pas plus loin ! Thèbes est inaccessible : un monstre venu du mont Cithéron monte la garde aux portes de la ville, il empêche quiconque de sortir ou d'entrer. On l'appelle le Sphinx.

– Ce Sphinx est-il si redoutable ?

– Oui : il arrête les voyageurs et leur propose

une énigme. S'ils ne savent pas répondre, il les tue et les dévore sans pitié !

– Et comment récompense-t-il ceux qui résolvent ses énigmes ?

– Hélas ! Jusqu'ici, aucun n'y est parvenu. Créon, le nouveau roi de Thèbes, a promis la main de sa sœur Jocaste, à celui qui délivrerait Thèbes de ce fléau.

– Créon ? Je croyais que Thèbes était gouvernée par Laïus.

– Notre roi vient d'être assassiné. Le frère de la reine Jocaste règne provisoirement. Il attend que la souveraine se remarie pour céder le trône à son nouvel époux.

En un éclair, Œdipe entrevoit un avenir inespéré : le pauvre voyageur qu'il est peut devenir roi dès demain.

– J'affronterai le Sphinx, dit-il à son interlocuteur. J'entrerai dans Thèbes vainqueur. Ou je mourrai... qu'importe ?

Mourir, pense-t-il, serait un bon moyen de duper les dieux !

Voici qu'Œdipe approche des portes de la ville. Il n'aperçoit aucun monstre. Le Sphinx voudrait-il l'épargner ?

– Arrête, jeune imprudent !

La voix est impérative, étrange et rauque. Œdipe lève la tête. Là, juché sur un rocher se dresse un animal fabuleux ! C'est un fauve pourvu d'ailes. Il possède le buste, la tête et le visage d'une femme. Une femme à la vénéneuse beauté. Bras et jambes sont munis de griffes. Sa queue est celle d'un dragon.

– Ignores-tu que pour passer, tu dois résoudre une énigme ?

– Je le sais. Je suis prêt. Je t'écoute.

Œdipe note que le Sphinx se tient en équilibre au bord d'un ravin. Qui sait si, en se précipitant vers lui, il ne pourrait pas le faire tomber ?

– Voilà ma question ! dit le monstre en toisant l'étranger avec un amusement hautain. *Quel est l'animal qui marche à quatre pattes le matin, sur deux pattes à midi et sur trois le soir ?*

Œdipe réfléchit. Il devine que les mots de cette énigme ont un sens caché : c'est une métaphore. Il lance aux dieux une prière muette et s'exclame soudain :

– Cet animal, c'est l'homme ! L'homme qui, dans l'enfance, se déplace à quatre pattes ; l'homme qui, adulte, marche sur ses deux jambes et qui, devenu vieux, s'aide alors d'un bâton.

Le visage du Sphinx exprime le plus vif étonnement. D'un coup, le monstre bascule dans le vide ; et son interminable chute s'accompagne d'un éclair flamboyant !

Du haut des murs de Thèbes, les habitants n'ont rien perdu de ce spectacle. Incroyable : un inconnu a répondu à l'énigme du Sphinx, il a débarrassé la ville de ce fléau !

Une immense ovation monte de la cité. On ouvre les portes et l'on conduit triomphalement le vainqueur du Sphinx au palais.

C'est ainsi qu'Œdipe devient roi.

Les noces d'Œdipe et de Jocaste sont suivies de grandes festivités. Œdipe trouve la reine fort séduisante et belle ; certes, elle est plus âgée que lui – mais encore assez jeune pour lui donner quatre enfants : deux filles, Antigone et Ismène, et deux garçons, Étéocle et Polynice. Pendant plus de dix ans, le règne des souverains est sans nuage. Un matin, le devin Tirésias demande une audience au palais.

– Mon roi, dit-il à Œdipe, la peste s'est déclarée dans Thèbes ! Les présages sont funestes... Je redoute l'avenir.

Tirésias est un sage. Comme la Pythie, il sait lire le futur.

– Tais-toi, oiseau de mauvais augure ! lui lance Jocaste.

Mais Tirésias a dit vrai : les mois, les années s'écoulent et la peste fait des ravages. Dans les champs, plus aucune céréale ne pousse. La famine s'installe. Le peuple gémit sur son infortune et demande aux souverains d'agir.

– La colère des dieux s'acharne sur nous ! déclare un jour Tirésias.

– Vraiment ? répond Œdipe au devin. Eh bien va donc à Delphes interroger les oracles ! Et reviens le plus vite que tu peux.

Dès son retour, le devin, très pâle, annonce :

– Voici, d'après la Pythie, la cause de nos malheurs : le meurtrier du roi Laïus n'a jamais été retrouvé. Il faut l'identifier et le punir !

– Soit. Faisons tout pour trouver le coupable. Son châtiment sera terrible ! Je veux que se présentent ici les témoins de ce drame.

Convoqués, les soldats ne reconnaissent pas Œdipe. Trop d'années se sont écoulées. À leurs yeux, le meutrier de Laïus était un simple étranger qui venait de Corinthe. Très vite, la date et le lieu du meurtre font comprendre à Œdipe qu'il pourrait bien être cet assassin ! Terrifié, il se souvient alors de l'oracle : *Tu tueras ton père...* Mais Laïus n'était pas son père ! *Tu épouseras ta mère...* Mais Jocaste ne peut pas... D'un coup, les rumeurs qui couraient à Corinthe sur l'origine de sa naissance lui reviennent en mémoire. C'est impossible ; mais il veut être sûr. Et si Jocaste était sa mère, elle aurait eu un enfant, vingt ans auparavant. Il l'interroge.

– Non ! répond-elle aussi épouvantée que lui. Non, je n'ai jamais eu d'autre enfant que ceux que nous avons conçus, sauf...

Œdipe retient son souffle. Il faut que Jocaste dise la vérité.

– Sauf un bébé que Laïus a fait égorger à sa naissance. Nous ne pouvions le laisser vivre ! Un oracle avait prédit...

– Qui l'a égorgé ? L'a-t-il vraiment tué ? Je veux savoir !

Jocaste convoque le capitaine que le roi Laïus avait chargé de la sinistre besogne. Le vieux soldat baisse les yeux et avoue :

– Je n'ai pas pu tuer le bébé. Je lui ai percé les pieds, je l'ai accroché à un arbre et abandonné sur le mont Cithéron...

– Non ! hurle Œdipe. Non !

Œdipe veut reconstituer toute la vérité, quelle qu'elle soit. Et si c'est une fange, il veut s'y noyer. Le même jour, il convoque Tirésias et ordonne :

– Rends-toi à Corinthe. Demande audience à mon père Polybe...

– Polybe, répond le devin, n'est pas ton père. Tu l'as déjà compris.

Cependant, Tirésias obéit. De retour, il confirme :

– Tu n'es pas le fils naturel des souverains de Corinthe mais un enfant trouvé sur le Cithéron et recueilli par un certain Phorbas...

Le vieux berger vit encore, il est convoqué au palais.

– Oui ! avoue-t-il. J'ai découvert un bébé que la reine a adopté...

Là-bas, dans un coin de la salle du trône, Tirésias se contente de baisser la tête. Œdipe lui déclare d'une voix blanche :

– Tu savais... Toi, le devin, tu savais tout et tu ne m'as rien dit !

– À quoi bon révéler ce que l'on n'a pas envie d'entendre ? Il fallait, Œdipe, que tu désires la vérité. Et que tu la découvres toi-même.

Jocaste se lève. Elle regarde Œdipe, épouvantée.

– Ainsi, tu as tué ton père. Et moi, ta femme, je suis ta mère...

Elle quitte le palais en hurlant à la fois sa honte et sa douleur.

– Oui, murmure Œdipe atterré. Je suis deux fois coupable.

Pauvre Œdipe ! Il s'accuse de meurtre et d'inceste. Mais comment aurait-il pu échapper au sort que les dieux lui avaient réservé ? Est-il responsable de ces crimes inscrits dans sa destinée ?

Peu après, une jeune fille en pleurs entre dans la salle du trône. C'est Antigone, Antigone : sa fille et... sa sœur ! Elle murmure dans un sanglot :

– Jocaste vient de se pendre, elle est morte.

Elle tient la ceinture qu'a dû utiliser la reine. Alors, Œdipe en saisit la boucle et, de la pointe, se crève et s'arrache les yeux.

– Mon père ! hurle Antigone. Qu'avez-vous fait ? Vous voilà aveugle ! Pourquoi ?...

– C'est lorsque je possédais des yeux que j'étais aveugle, Antigone ! Que m'importe de voir à présent ? Quand nous croyons décider de nos pas, ce sont toujours les dieux qui les guident...

– Eh bien désormais, murmure-t-elle, c'est moi qui vous guiderai.

Les yeux en sang, Œdipe s'agrippe au bras de sa fille. Antigone jure qu'elle ne le quittera plus. Et tandis qu'ils s'éloignent du palais, les habitants de Thèbes se rassemblent dans les rues pour voir passer leur souverain déchu. Il y a là Polynice, Étéocle, Ismène. Et le frère de la reine morte.

– Créon, murmure Œdipe. Je te confie le trône et mes trois enfants.

– Où iras-tu, où irez-vous ? demande Créon.

– À Colone... si son roi veut bien nous y accueillir. Adieu. Puisse mon éloignement dissiper les malheurs de Thèbes !

Eh bien non : le vœu d'Œdipe ne sera pas exaucé. De nouveaux drames ne tarderont pas à venir endeuiller Thèbes : les deux fils d'Œdipe s'entre-tueront pour le pouvoir, et Antigone connaîtra une fin atroce...

Voilà, tu connais la tragique histoire d'Œdipe !

On parle aujourd'hui du *complexe d'Œdipe*...

Oui : il paraît que les jeunes garçons aimeraient tant leur mère qu'ils verraient dans leur père un rival à éliminer ! Mais à présent, tu sais qui est responsable de ces désirs d'amour et de mort : non pas les malheureux humains, mais les jouets qu'ils peuvent devenir entre les mains de dieux féroces et capricieux.

VII

ANTIGONE

CELLE DONT LE DEVOIR ÉTAIT D'ENFREINDRE LA LOI

EN APPROCHANT de Thèbes, je fus frappée par l'abondance des soldats étrangers qui grouillaient autour de la cité. Comme je me dirigeais vers l'une des sept portes de la ville, je notai qu'elles étaient toutes fermées. Un capitaine m'apostropha en ricanant :

– Qui es-tu, jeune étrangère ? Ne vois-tu pas que nous faisons le siège de Thèbes ? Si tu y entres, tu ne pourras plus en sortir !

– Je m'appelle Antigone. Je suis la fille d'Œdipe qui fut roi de cette cité. Je reviens dans ma patrie que gouverne Créon, mon oncle.

– Antigone ? fit l'autre en s'inclinant avec respect.

Alors, de l'une des tentes qui entouraient la ville une jeune fille en larmes sortit, m'aperçut et s'élança vers moi. Je la pris dans mes bras.

– Ismène ! Ismène, ma sœur chérie... Pourquoi pleures-tu ainsi ?

– Ah, Antigone, me dit-elle dans un sanglot, comme je suis heureuse que tu sois revenue ! Comment va notre père Œdipe ?

– Il est mort. Les Euménides[1] ont enfin eu pitié de lui.

Cette triste nouvelle fit redoubler les pleurs de ma sœur.

– Le malheur nous poursuit, Antigone ! m'avoua-t-elle. La mort de nos parents n'a pas

---

1. Divinités charitables qui, après l'expiation d'un coupable, le lavent de ses crimes.

apaisé le courroux des dieux... Depuis l'exil d'Œdipe, nos frères n'ont cessé de s'entre-déchirer !

Étéocle et Polynice ! Je les chérissais autant qu'Ismène. Ma sœur ravala ses larmes pour m'expliquer :

– Après ton départ, c'est Créon, notre oncle, qui est remonté sur le trône. Très vite, Étéocle et Polynice ont exigé le pouvoir : les fils d'Œdipe ne faisaient que réclamer leur droit.

« – Soit ! leur répondit Créon. Mais lequel de vous deux sera roi ?

J'imaginais sans mal la suite, qu'Ismène me confirma :

– Aucun n'a voulu renoncer. Tu sais, Antigone, combien ils sont fiers et intransigeants ! Ils conclurent un marché : ils gouverneraient un an à tour de rôle. Le sort désigna d'abord Étéocle...

– La solution n'était pas mauvaise, murmurai-je.

– Hélas, celui qui goûte au pouvoir n'a

qu'une envie : le conserver ! Polynice s'était installé loin du palais. Quand il est revenu, Étéocle n'a jamais voulu lui rendre le trône.

– Quel parjure ! Pourquoi a-t-il trahi ?

– Étéocle prétendait qu'il avait, en un an, appris à gouverner. Oh, tous les prétextes furent bons ! Étéocle n'a pas cédé.

– Et Polynice ? Comment a-t-il réagi ?

– Très mal ! répondit une voix familière derrière moi.

Polynice était là, joyeux, fier, rutilant, en armes. Il m'embrassa.

– J'ai été demander du renfort pour rentrer dans mon droit ! gronda-t-il en désignant l'armée qui entourait la ville. Ce renfort, le roi d'Argos a bien voulu me l'apporter : il m'a confié des milliers d'hommes. À cette heure, sept capitaines et leurs garnisons gardent les portes de Thèbes ! La ville se rendra bientôt.

Je n'ai pu m'empêcher de lui répondre, comme on gronde un enfant capricieux :

– Polynice... Sais-tu bien ce que tu fais ? Tu

défies ton propre frère, tu recrutes une armée étrangère !

– Soutiendrais-tu Étéocle ? Il a manqué à sa parole !

– Vous avez tort l'un et l'autre, même si c'est lui qui a commencé...

Polynice baissa les yeux. À peine rentrée dans ma patrie, on m'obligeait à redevenir la sœur aînée chargée d'apaiser les disputes et d'arbitrer les conflits. Déjà, je songeais à la détresse des Thébains affamés.

– Que de morts ce siège va provoquer ! murmurai-je épouvantée.

– Antigone, me répondit mon frère, tu sais combien nous t'aimons. Ton dévouement pour notre père en exil a suscité le respect et l'admiration générale. Mais si tu soutiens l'attitude d'Étéocle...

– Je la condamne autant que la tienne ! As-tu pensé, Polynice, aux victimes que cette guerre fratricide entraînera ? Non seulement chez les nôtres mais aussi chez les soldats d'Argos qui vont mourir dans un conflit qui ne concerne que ton frère et toi !

– Je le sais, grommela-t-il. Aussi, Antigone, je te demande d'aller convaincre Étéocle. S'il me refuse le trône, soumets-lui un marché : qu'il accepte de m'affronter en combat singulier. S'il perd, j'obtiendrai pour toujours le trône ! S'il gagne, il le gardera.

– Non ! Je refuse que vous alliez vous entretuer...

– En ce cas, s'exclama-t-il en désignant l'armée d'Argos, nous n'éviterons pas le carnage. Le plus fort l'emportera.

J'étais consternée. Il me fallait gagner du temps. Et tenter de raisonner Étéocle. Très vite, je répondis :

– Entendu, Polynice ! Je vais lui soumettre ta proposition.

Je le serrai longuement contre moi.

– Je t'aime, petite sœur, tu sais, me chuchota Polynice.

Moi aussi, Polynice, je t'aimais. Mais je

n'étais née que pour voir mourir tous ceux que je chérissais.

Une fois entrée dans Thèbes, les portes se refermèrent sur moi. Je fus vite admise au palais. Créon me reçut sans joie. Il me conduisit devant le trône où siégeait mon frère. Je grondai :

– Notre père est mort. Je reviens. Et j'apprends votre odieuse dispute ! Étéocle, tiens parole : cède le trône un an à Polynice.

– Quoi ? s'insurgea-t-il. Capituler aujourd'hui devant ce traître qui a été chercher du renfort auprès de nos anciens ennemis ?

Longtemps, je rivalisai d'arguments pour le convaincre. Mon frère n'était pas dupe de sa propre mauvaise foi. Mais son orgueil ferait qu'il ne plierait pas. Créon, attentif, écoutait. Je soufflai :

– Il existerait bien un moyen, cruel, de vous départager...

J'expliquai le marché que proposait Polynice ; Créon réagit :

– La solution est honnête, Étéocle ! Écoute : la population de Thèbes est affamée. Quand Argos donnera l'assaut, nous serons trop faibles pour combattre, nous devrons capituler, tu le sais ! Quoi... tu hésites ? Craindrais-tu d'affronter ton frère ?

– Soit. Épargnons les vies. Antigone, dis à Polynice que j'accepte !

Le lendemain, à l'aube, j'assistai au combat depuis les murs de la ville. Le cœur serré, j'espérais que l'un de mes frères ne serait que légèrement blessé, admettrait sa défaite et abandonnerait le trône. Il n'en fut rien. La plaine où les deux adversaires s'affrontaient résonnait du choc violent de leurs épées. Les coups étaient donnés pour tuer. Le sang giclait de part et d'autre. Et dans leurs voix hargneuses qui se mêlaient, je ne savais lequel poussait des grognements de colère et lequel des cris de douleur.

Enfin, après une heure d'affrontement sans

pitié, je les vis chanceler et tomber en même temps l'un sur l'autre. Je hurlai :

– Étéocle ! Polynice ! Vite, qu'on aille les secourir !

Créon fit ouvrir les portes et rejoignit la plaine avec une petite garnison. Quand il revint, son escorte transportait un cadavre sanglant. Quel qu'il fût, j'en serais inconsolée.

Je reconnus le corps d'Étéocle ; je me précipitai sur lui, je l'inondai de mes pleurs. Avant de rendre son dernier souffle, il me reconnut, me sourit et murmura :

– Je t'aime, petite sœur, tu sais.

Moi aussi, je t'aimais, Étéocle.

Dans la plaine, les soldats d'Argos se repliaient. Je ne comprenais plus : Polynice avait gagné, pourquoi ses alliés n'entraient-ils pas dans Thèbes en vainqueurs ?

– Polynice est mort lui aussi ! m'annonça Ismène en venant me rejoindre. Son corps gît dans la plaine. N'ayant plus de raison de combattre, les gens d'Argos retournent chez eux.

Ainsi, les dieux continuaient à s'acharner sur notre famille : la stupide rivalité de mes frères les avait perdus. Tandis que je m'élançais vers la dépouille de Polynice abandonnée sur le sable, j'entendis Créon décréter aux Thébains rassemblés :

– Que l'on fasse au souverain Étéocle des funérailles dignes du grand roi qu'il était !

Vivement, je me retournai vers mon oncle :

– Et Polynice ? lui dis-je en désignant, au loin, son corps meurtri.

– Ce traître ne mérite aucune sépulture. Que son cadavre soit la pâture des vautours ! Quiconque s'approchera de lui et tentera d'enfreindre mes ordres sera puni de mort. On fera comme j'ai dit !

– C'est impossible ! Mon oncle...

Créon me foudroya du regard car je le défiais en public.

– J'implore votre clémence ! hurlai-je en me jetant à ses pieds.

– Je ne reviendrai pas sur l'ordre que j'ai

donné, Antigone. N'oublie pas que je suis une nouvelle fois le roi.

En effet : mes frères disparus, Créon remontait sur le trône !

J'attendis de me retrouver seul avec lui dans le palais. Je savais mon oncle têtu mais pas cruel.

– Si vous laissez le corps de Polynice sans sépulture, son âme errera à tout jamais, elle ne pourra pas rejoindre le royaume des morts !

– C'est vrai. Mais tu ignores, Antigone, ce qu'est la raison d'État. Le peuple exige qu'il y ait des bons et des méchants, des vainqueurs et des vaincus. Il ne comprendrait pas que tes frères soient traités de la même façon. Étéocle était le roi en exercice.

– Il avait violé leur accord et usurpé le trône !

– Qu'importe : il était roi de Thèbes et Polynice du mauvais côté des murs. D'ailleurs, il est trop tard pour que je modifie mon arrêt.

– Mais c'est une injustice !

– Mieux vaut une injustice qu'un désordre.

À ma place, tu ferais de même. Tu punirais de mort celui qui enfreint la loi.

– Il existe d'autres lois, mon oncle, non écrites : des lois dictées par l'amour, le respect des hommes et la crainte des dieux, des lois plus justes et plus fortes que vos petits décrets.

– Attention, Antigone, ne me défie pas. Si tu osais désobéir, je serais contraint de te condamner.

Nous étions semblables à mes frères qui s'étaient entre-tués : aucun de nous ne voulait, ne pouvait plus reculer. Mais si Créon ne faisait que son métier, il m'incombait de faire mon devoir.

Le même soir, je rejoignis Ismène dans sa chambre. Son chagrin semblait infini. Je lui caressai les cheveux et lui murmurai :

– Ismène, sache que tu vas aussi perdre ta sœur.

– Que dis-tu ? fit-elle en relevant vivement la tête. Ne me dis pas que tu as l'intention d'aller ensevelir Polynice ?

– Je le dois. Ensuite, Créon fera de moi ce qu'il voudra.

– Antigone, me supplia-t-elle, ne m'abandonne pas ! Au lieu de t'occuper des morts, prends plutôt soin des vivants !

– Je ne suis plus qu'une ombre, Ismène. Il me tarde de rejoindre ceux qui nous ont quittés.

Quelqu'un entra dans la chambre : à son allure voûtée, je reconnus Tirésias, le devin. Que venait-il faire ici à cette heure ?

– Tu vas commettre l'irréparable, Antigone...

– Créon te condamnera ! s'exclama Ismène. Oui : je lis ta mort dans le regard du devin. Antigone... pourquoi t'obstiner ? Notre intérêt n'est-il pas de nous ranger du côté du plus fort ?

– Le plus fort, ce n'est pas la loi de Créon. Le plus fort, c'est le devoir – puis, une fois le devoir accompli, le destin.

Il fait nuit. Ismène dort. Je me penche sur elle pour l'embrasser. Puis, pieds nus, je quitte la chambre et je me glisse hors du palais. Les rues de Thèbes sont désertes. Et les sept portes sont ouvertes. Nul ennemi ne nous guette plus. Malgré tout, des soldats montent la garde et, quand je passe, ils m'interpellent.

– Antigone ! Toi, ici, à cette heure ? Attends, ne t'éloigne pas !

– Créon a interdit qu'on sorte de la ville !

Les soldats sont lourdement armés mais je suis bien plus agile qu'eux. Je leur échappe sans peine et je m'élance dans la plaine.

– Antigone, reviens ! me crient-ils. Oh non, surtout, ne le fais pas !

Ils hésitent à me poursuivre. C'est moi qui leur lance de loin :

– Je ne vais faire que mon devoir. Vous, soldats, faites le vôtre !

La nuit est belle et le sable chaud sous mes pas. Je cours jusqu'à cette forme humaine qui, sanglante et démantelée, gît sous la lune. Effrayés, quelques rapaces s'envolent lourdement devant moi. Polynice... enfin, mon frère est là. Je ne prends pas le temps de me recueillir. Je ramasse à mes pieds de la terre et du sable que je jette sur son corps défunt. Oh, il est inutile de le recouvrir entièrement, pour les dieux qui ne jugent que l'intention, quelques poignées suffisent.

– Va, Polynice, repose en paix désormais !

À la bouffée de bonheur qui m'envahit, je sais que l'âme de mon frère quitte enfin son corps meurtri. En ce moment, Polynice a rejoint le Styx et Charon l'a admis dans sa barque.

J'entends déjà derrière moi les pas des soldats qui accourent. L'alerte a été donnée. Une trompette résonne. Thèbes s'éveille.

L'aube se lève sur le corps de Polynice. Nul ne peut plus ignorer mon acte de rébellion et d'amour.

Face au trône de Créon où les soldats m'ont amenée, je dois avouer mon forfait. Mon oncle se penche vers moi, me chuchote :

– Je peux encore te grâcier. Avoue que tu regrettes cet acte insensé.

– Oui, Créon ! dis-je assez fort pour être entendue de tous. Oui, j'avoue : si c'était à refaire, eh bien je recommencerais !

Tirésias essaie en vain de prendre ma défense. Créon soupire :

– Quelle petite obstinée es-tu pour avoir osé enfreindre ma loi ?

– Et toi, Créon, quel roi es-tu pour te substituer aux dieux et refuser d'ensevelir celui dont le seul crime était de réclamer son dû ?

Comme tous les rois, Créon n'aime pas qu'on lui tienne tête.

– Jeune entêtée ! Me voilà contraint de te condamner à mort...

– Je préfère mourir en paix plutôt que vivre sans avoir accompli mon devoir. Prenez soin de vous, mon oncle : vous avez violé d'autres lois, craignez la colère de ceux qui les ont dictées !

Quand je traverse les rues de Thèbes, enchaînée, je ne surprends autour de moi que des murmures d'admiration et de pitié. À ma grande surprise, je suis davantage une héroïne qu'une condamnée.

Ma prison est, un peu à l'écart de la ville, une grotte creusée dans la falaise. Avant d'y pénétrer, je serre Ismène contre moi.

– Antigone, m'affirme-t-elle, je ne te survivrai pas.

Sur un ordre de Créon, les soldats font rouler devant l'entrée de la caverne un énorme rocher qui l'obstrue, je suis plongée dans l'obscurité. Voilà, c'est ici que je vais mourir.

Je n'attendrai pas que la soif et la faim viennent me torturer. Je mettrai fin à mes jours comme l'a fait ma mère. Pluton aura pitié de moi, je le sais. Mon sacrifice servira peut-être d'exemple...

J'espère que dans l'avenir, il s'en trouvera d'autres que moi qui sauront défier les rois et comprendre que leur devoir, parfois, est d'enfreindre la loi des hommes.

VIII

PÂRIS

LA POMME DE DISCORDE

LES NOCES de Thétis, une déesse marine, et de Pélée, roi de Thessalie, allaient bientôt être célébrées sur l'Olympe.

– Organisons un banquet somptueux ! déclara Jupiter.

– Et invitons tous les dieux ! ajouta Junon, son épouse.

– Tous ? Ah non. Pas question d'inviter la Discorde.

La Discorde, qu'on appelait aussi Éris,

n'était pas une divinité aimable : partout où elle était présente, elle ne savait semer que disputes, perturbations et conflits. Jupiter et Junon étaient rarement du même avis. Mais cette fois, ils tombèrent d'accord : Discorde ne serait pas conviée à la noce !

La fête fut joyeuse et réussie : Vénus, Minerve et toutes les divinités de l'Olympe ripaillaient joyeusement tandis que le bel Apollon chantait, accompagné par le chœur des muses.

Or, la Discorde rôdait près du palais. Vexée d'avoir été écartée, elle réfléchissait au moyen de se venger. Profitant d'un moment d'inattention des convives, elle se glissa dans la salle du banquet et déposa sur la table une magnifique pomme en or sur laquelle elle avait écrit : *À LA PLUS BELLE*.

À peine s'était-elle éclipsée que Junon avisa la pomme.

– Quelle merveille ! s'exclama-t-elle. Qui m'a apporté ce cadeau ?

– Vous permettez ? fit Vénus en s'emparant

du fruit. Il est clair qu'il m'est destiné : ne suis-je pas la déesse de la beauté ?

– Doucement, s'interposa Minerve. Je prétends qu'il me revient de droit. Ne m'avez-vous pas toujours affirmé, mon père, que j'étais la plus belle ? acheva-t-elle en se tournant vers Jupiter.

Le roi des dieux fut très embarrassé : certes, Minerve était sa fille préférée. Mais en l'élisant, il craignait de froisser son épouse. Et il ne voulait pas se fâcher avec Vénus.

– Ma foi, qu'en pensent nos invités ?

C'était la question à ne pas poser ! Les avis les plus divers furent lancés. Chacun choisit, pour la flatter, la déesse dont il voulait obtenir la protection ou l'amitié. Personne n'était d'accord. Cachée non loin de là, la Discorde se frottait les mains.

– Arrêtez de vous chamailler ! tempêta Jupiter en réclamant le silence. Ici, personne ne peut être juge avec objectivité. Vous allez donc toutes trois vous rendre sur le mont Ida.

Mercure vous accompagnera avec la pomme. Il la confiera à un berger qui la donnera à celle qu'il jugera la plus belle. Et son avis fera loi !

Jupiter avait parlé. Sa décision, d'ailleurs, convenait aux trois déesses : chacune était tellement certaine de l'emporter !

Ce jour-là, sur le mont Ida, celui qui faisait paître son troupeau était le jeune et séduisant Pâris. Or, Pâris n'était pas un berger comme les autres... Juste avant de le mettre au monde, sa mère, Hécube, avait rêvé qu'elle enfantait une roche enflammée qui détruisait la ville de Troie, dont son époux, Priam, était le roi.

– Hélas, ce présage est clair ! s'exclama-t-il. Notre enfant causera la destruction de notre royaume. Dès qu'il naîtra, nous le tuerons !

La future mère fit semblant d'accepter. Mais elle demanda au serviteur chargé de la triste besogne d'abandonner le bébé sur le mont Ida, et de rapporter au roi le cadavre d'un autre enfant. Priam n'y vit que du feu et crut son ordre exécuté. Hécube, elle, priait les dieux pour que son enfant fût découvert et sauvé.

C'est ce qui arriva : le nourrisson fut déniché par une ourse qui, au lieu de le dévorer, l'allaita. Plus tard, un brave berger le trouva, l'adopta et l'appela Pâris.

Devenu grand, Pâris se rendit un jour à Troie pour participer à des jeux auxquels assistait le roi Priam, son épouse Hécube et leur fille, la jeune Cassandre. La vaillance de ce garçon les éblouit.

– Cet inconnu devance tous ses adversaires ! s'exclama Priam. Se peut-il qu'il soit le simple fils d'un berger ?

Or, Cassandre possédait le don de divination. Dès qu'elle vit le jeune homme, elle sut aussitôt qui il était :

– Non, affirma-t-elle en pâlissant. C'est là votre fils... et mon frère !

Priam fit venir Pâris et convoqua celui qui l'avait élevé. Son enquête fut rapide, la vérité éclata ! Et le roi fut si heureux de retrouver un fils qu'il oublia la prophétie du rêve de son épouse.

Devenu prince, Pâris avait choisi de passer le plus clair de son temps à garder les troupeaux de son père aux alentours de la ville de Troie...

Mercure, la pomme d'or à la main, eut vite fait de repérer Pâris sur les pentes du mont Ida. Il surgit devant lui, avec ses sandales ailées ; le berger prenant peur, le dieu le rassura :

– N'aie crainte, Pâris ! Je suis envoyé par Jupiter pour que tu départages trois déesses. Il te faut désigner la plus belle. Voici une pomme. Donne-la à celle qui a ta préférence.

Stupéfait, Pâris se vit confier la magnifique pomme d'or ; et quand il releva la tête, il aperçut devant lui trois femmes dont la beauté l'éblouit... trois déesses ! Son regard allait de l'une à l'autre et, bien entendu, il était incapable de se décider. Minerve s'avança, saisit la main du berger et lui chuchota à l'oreille :

– Si tu me choisis, Pâris, tu deviendras un roi puissant ! Moi, la déesse de la guerre, je t'enseignerai l'art des combats et je ferai de toi un souverain invincible.

– Attends ! interrompit Junon en s'approchant à son tour. M'as-tu reconnu, Pâris ? Je suis l'épouse de Jupiter ! Combattre ? Avec ma protection, tu n'en auras pas besoin ! Et je te promets que tu régneras sur l'Asie Mineure.

Pendant ce temps, Vénus avait dégrafé sa tunique pour paraître dans son éclat.

– Moi, dit-elle, je t'offre davantage encore. Si ton choix se porte sur moi, tu obtiendras l'amour de celle dont la beauté est égale à la mienne... la fille que l'humaine Léda eut avec Jupiter : Hélène.

Hélène était convoitée par tous les souverains de Grèce. Elle était si belle que Thésée l'avait enlevée pour tenter de l'épouser alors qu'elle n'avait que douze ans. Pâris n'hésita pas : au grand dépit de Junon et de Minerve, il s'inclina devant Vénus et lui donna la pomme. Personne ne vit, cachée dans les bosquets près de là, une déesse qui semblait ravie du tour que prenait cette histoire. Bien sûr, c'était la Discorde ; sa pomme continuait à produire ses effets.

Au moment où cette scène se déroulait sur mont Ida, en Grèce, la fameuse Hélène se trouvait à Sparte. Entourée de ses prétendants, elle était confrontée à un choix difficile :

– Cette fois, lui disait son père adoptif Tyndare, il faut te décider ! Tous les rois des villes de Grèce sont là, lequel choisis-tu ?

– Ah mon père, quelle que soit ma décision, je sais qu'elle entraînera des catastrophes. Tant d'amies à moi se plaignent d'être laides. Je les envie, car ma beauté est si lourde à porter...

Il est vrai qu'Hélène avait déjà déclenché de nombreux conflits : plusieurs souverains s'étaient battus pour elle.

– En prenant un mari, dit-elle, je susciterai de nouvelles passions ! Ceux que j'aurai évincés voudront tuer mon époux ou m'enlever !

– Donc, s'exclama Ulysse qui était roi d'Ithaque, ceux qui ne seront pas choisis devront se lier par un serment ! Jurons de nous unir pour poursuivre celui qui tenterait d'arracher Hélène à son époux...

Le roi de Sparte, Ménélas, approuva. Il se tourna vers Agamemnon, son frère, le roi d'Argos, et vers les autres prétendants réunis.

– Cette solution me semble raisonnable. Qu'en dites-vous ?

Les Grecs acquiescèrent :

– Oui, jetèrent-ils d'une seule voix, nous jurons de combattre celui qui oserait ravir Hélène jusqu'à ce qu'elle soit rendue à son mari !

– Et maintenant, la pressa Tyndare, Hélène, décide-toi !

– Je choisis Ménélas, le roi de Sparte, dit-elle après une hésitation.

Qu'Hélène soit devenue l'épouse de Ménélas n'avait pas empêché Vénus de tenir son serment : elle fit naître dans le cœur de Pâris une telle passion pour Hélène que celui-ci, bien qu'il n'eût encore jamais vu celle dont il était amoureux, alla aussitôt trouver son père Priam.

– Justement, je voulais te voir ! lui dit-il. Il faut te marier et assurer ta descendance. J'ai une jeune fille à te présenter, elle s'appelle Œnone.

Œnone laissa Pâris indifférent ; comme son père insistait, il l'épousa. Mais il la délaissa vite car il n'avait qu'Hélène en tête.

Un matin, Priam convoqua son fils au palais :

– Pâris, lui dit-il, j'ai une mission à te confier : je dois envoyer un ambassadeur auprès du roi Ménélas, à Sparte. J'ai pensé que...

Sparte ! La ville où se trouvait la belle Hélène. Pâris s'écria :

– Ah, mon père, je pars sur-le-champ !

Pâris ne fit même pas ses adieux à Œnone. Le même soir, il quitta la ville de Troie pour cingler vers la Grèce. Quand il se présenta au palais de la ville, les gardes lui dirent :

– Quel dommage ! Le roi Ménélas vient justement de partir pour la Crète. Il doit assister là-bas à d'importantes funérailles.

– Qu'importe ! s'exclama une voix féminine derrière eux. En son absence, je reçois les ambassadeurs. Entre, étranger. Qui es-tu ?

Dès que l'épouse de Ménélas eut aperçu Pâris, son cœur chavira. De son côté, l'envoyé de Troie crut défaillir de passion. D'une voix altérée par l'émotion, il répondit :

– Je suis Pâris, le fils de Priam, roi de Troie, et descendant du grand Jupiter lui-même...

Hélène n'en doutait pas : Pâris était beau comme un dieu !

À peine les gardes eurent-ils laissé les deux jeunes gens en tête à tête qu'ils se précipitèrent dans les bras l'un de l'autre.

– Ah, Hélène, fuyons ! murmura Pâris. Profitons de l'absence de ton mari. Rejoignons ensemble ma bonne ville de Troie.

– J'irai où tu iras. Mais je ne veux pas partir les mains vides.

Hélène fit entasser dans des coffres les richesses du palais et, dans la nuit, elle rejoignit en cachette le navire de Pâris. Quand le jour se leva, les gardes durent se rendre à l'évidence : non seulement la reine avait pillé les biens de son époux, mais elle l'avait quitté pour partir avec un étranger !

Sur le navire qui revenait à Troie, Pâris et Hélène goûtaient les joies d'un amour réciproque. Et là-haut, sur l'Olympe, Vénus, satisfaite, observait en souriant les amants qu'elle avait réunis.

Lorsque Ménélas revint de Crète, il laissa éclater sa colère :

– Traîtres ! Incapables ! hurla-t-il aux gardes de son palais. Vite, convoquez-moi les rois de toutes les villes de Grèce.

Ils accoururent. Ménélas leur annonça la nouvelle :

– Pâris a enlevé Hélène, mon épouse ! À l'heure qu'il est, il navigue avec elle vers Troie ! Vous rappelez-vous votre serment ?

– Oui, mon frère, répondit Agamemnon d'une voix sombre. Et nous le respecterons. Nous rassemblerons nos armées. Nous partirons pour Troie. S'il le faut, nous ferons le siège de la ville et nous nous battrons. Mais nous ramènerons Hélène !

La guerre de Troie était déclarée...

Sur l'Olympe, Vénus comprit que la situation commençait à la dépasser. Agacée par la vaine agitation des hommes, elle revint dans son palais et entreprit d'y faire un peu de rangement. Elle avait trop de choses et décida de se débarrasser de quelques babioles.

– J'entasse, j'entasse... marmonnait-elle. Tiens, qui a pu me faire un cadeau si vulgaire ?

Elle tourna et retourna l'objet brillant entre ses mains avant d'éclater de rire.

– Ça y est, je me souviens ! Suis-je sotte... Et comme cet objet est de mauvais goût !

Elle le jeta. C'était un fruit. Un fruit en or : la pomme de Discorde.

IX

ACHILLE

UNE COLÈRE HOMÉRIQUE

DIX ANS... Voilà bientôt dix ans que les Grecs, sous le commandement d'Agamemnon, font le siège de la ville de Troie ! De tous les combattants, Achille est le plus courageux. Rien de plus normal : son père descend de Jupiter en personne et sa mère, la déesse Thétis, a pour ancêtre le dieu de l'océan !

Mais ce soir-là, le vaillant Achille rentre fourbu et découragé : Troie semble imprenable et, pour comble de malchance, la peste, qui s'est déclarée depuis peu, fait rage parmi les Grecs.

Comme il pénètre sous sa tente, il aperçoit son meilleur ami, Patrocle, qui l'attend.

– Ah, fidèle Patrocle ! s'exclame-t-il en lui ouvrant ses bras. Je ne t'ai même pas aperçu dans le feu de la bataille... Attends : je vais saluer Briséis et je suis à toi.

Briséis est une esclave troyenne qu'Achille s'est attribuée, après l'assaut de la semaine précédente, lors du partage rituel du butin. La jeune prisonnière avait jeté sur lui un regard suppliant et Achille était tombé sous son charme. Briséis elle-même ne semblait pas indifférente à son nouveau maître.

Achille écarte la toile – mais la chambre de Briséis est vide. La belle esclave se serait-elle enfuie ? Impossible : Briséis l'aime, Achille en mettrait sa main au feu. Et puis les Grecs cernent les murs de la ville ! Embarrassé, Patrocle s'avance vers son ami :

– Eh oui, Briséis est partie, Achille ! Je

venais te prévenir. Agamemnon, notre roi, a ordonné qu'on te la reprenne...

– Quoi ? Il a osé ?

Il blêmit et serre les poings. Il a de grandes qualités, Achille : c'est, de loin, le guerrier le plus farouche et le plus rapide. Ne l'a-t-on pas surnommé *Achille au pied léger* ? Sans lui, les Grecs auraient dû cent fois abandonner le siège et regagner leur patrie ! D'ailleurs, un oracle a prédit que la guerre de Troie ne pourrait pas être gagnée sans lui... Mais il a aussi quelques défauts : il est impulsif, coléreux. Et très, très susceptible.

– Laisse-moi t'expliquer, fait Patrocle sur un ton apaisant. Te souviens-tu de Chriséis ?

– Tu veux parler de l'esclave qu'Agamemnon s'est octroyée quand nous avons partagé le butin ?

– Elle-même. Le père de Chriséis, un prêtre, a voulu racheter sa fille. Malgré l'énorme rançon qu'il en offrait, Agamemnon a refusé.

– Il a bien fait !

– L'ennui, poursuit Patrocle en soupirant, c'est que ce prêtre, pour se venger, a appelé sur nous la colère d'Apollon. Voilà pourquoi la peste ravage maintenant nos rangs ! Elle va cesser, car Agamemnon a rendu ce matin Chriséis à son père. Mais le roi a voulu remplacer son esclave perdue. Et il a ordonné qu'on vienne chercher Briséis.

Loin d'apaiser Achille, cette explication ravive sa colère. Écartant son ami Patrocle, il se précipite hors de la tente. En quelques enjambées, il rejoint le baraquement du roi. Il y a là tous les rois des îles et des villes de Grèce. Achille bouscule Ménélas, Ulysse et trois soldats qui ne s'écartent pas assez vite.

– Agamemnon ! clame-t-il en se plantant devant lui jambes écartées. Cette fois, c'en est trop ! De quel droit me dépossèdes-tu de l'esclave que je me suis choisie ? Oublies-tu que tu t'es servi le premier ? Et qu'outre Chriséis, tu t'es octroyé dix fois plus de butin que tu n'en as laissé à tes plus prestigieux guerriers ?

Un vieillard courbé à la longue barbe blanche s'interpose. C'est Calchas, le devin.

– Achille, murmure-t-il, c'est moi qui ai recommandé au roi de rendre Chriséis. Les oracles sont formels : c'était le seul moyen d'apaiser Apollon et de chasser la peste qui nous décime !

– Je ne mets pas ton oracle en doute, Calchas, grommelle Achille. Mais pourquoi Agamemnon m'a-t-il pris Briséis ? Après chaque combat, c'est toujours la même chose : le roi se sert le premier – et largement ! Il ne laisse que des broutilles à ceux qui combattent en première ligne !

Agamemnon pâlit. Dominant son irritation, il bombe le torse et jette à son meilleur soldat :

– Oublies-tu, Achille, que tu parles à ton roi ?

– Un roi ! En es-tu si digne, Agamemnon,

toi qui ne sais que donner des ordres et te retirer loin des combats ? C'est surtout après la bataille que l'on te voit, pour le partage du butin !

– Tu m'insultes, Achille !

– Non. C'est toi qui m'as offensé en me volant Briséis ! J'exige que tu me rendes cette esclave, elle me revient de droit !

– Pas question ! Tu oserais défier ton roi, Achille ?

Agamemnon n'a pas le temps d'achever sa phrase : Achille tire son épée... quand la déesse Minerve lui apparaît :

– Calme-toi, bouillant Achille ! chuchote-t-elle sur un ton apaisant. Tu as d'autres moyens de te venger du roi sans le tuer, crois-moi.

La vision s'estompe. Achille, qui est le seul à avoir vu la déesse, rengaine son glaive.

– Soit ! décide-t-il d'une voix ferme. Garde Briséis pour toi. Mais sache que, désormais, je ne me mêlerai plus aux combats. Après tout, que m'importe cette fameuse Hélène que Pâris est venue enlever à ton frère ? Les Troyens ne m'ont jamais rien fait, à moi !

Et devant Ménélas, l'époux d'Hélène, qui jette un regard de stupéfaction à Agamemnon, Achille tourne les talons et s'en va.

Arrivé sous sa tente, il ne peut retenir ses larmes. Oui : Achille pleure, de dépit autant que de rage. Car à la perte de Briséis s'ajoute l'humiliation d'en avoir été dépossédé devant tous ses compagnons. Cela, il ne peut le pardonner au roi !

Le lendemain soir, Patrocle rejoint Achille qui, de toute la journée, n'a pas bougé de sa tente : il boude.

– Je suis exténué, soupire l'ami d'Achille en s'affalant sur un siège. Aujourd'hui, nous avons perdu beaucoup d'hommes. Ta vaillance nous a bien fait défaut ! Quand les Troyens ont constaté que tu ne participais pas au combat, leur ardeur a redoublé.

Achille ne répond pas. Pour que la ville de

Troie soit prise, tous savent que sa présence ou son action sont indispensables. Il espère qu'Agamemnon, privé de son meilleur guerrier, finira par lui rendre Briséis. Qui sait même s'il ne viendra pas le supplier de reprendre le combat ?

Mais Achille se souvient aussi d'une prédiction funeste : le devin Chalcas a révélé à sa mère que, s'il se rendait à Troie, il y mourrait peu de temps après Hector, le fils de Priam et le plus célèbre des guerriers troyens ! Pour détourner le destin, Thétis, la mère d'Achille, avait usé de mille ruses : pour le rendre immortel, elle avait d'abord plongé son fils dans le Styx, le fleuve des Enfers. Mais elle n'avait pu l'immerger totalement ; et le talon par lequel elle le tenait était ainsi resté le seul point vulnérable de son corps. Ensuite, Thétis avait déguisé son fils en femme et l'avait envoyé sur l'île de Scyros pour le mettre à l'abri. Mais Ulysse était parvenu à retrouver Achille et à l'entraîner jusqu'à Troie.

– Ah, Patrocle ! soupire Achille. Que suis-je donc venu faire ici ? Comme je regrette de ne pas être resté en Thessalie ! Dans ma patrie, j'aurais pu mener la vie paisible d'un bouvier...

La semaine suivante, Patrocle pénètre tout joyeux sous la tente d'Achille pour lui annoncer :

– Ça y est ! La fin de la guerre approche ! Pâris et Ménélas vont s'affronter demain en combat singulier ! Le gagnant gardera Hélène et le camp du perdant devra se soumettre aux lois du vainqueur !

– Pourquoi pas ? bougonne Achille, aussi surpris que déçu.

En effet, son chantage tombe ainsi à l'eau. Et si l'oracle a dit vrai, la défaite des Grecs est assurée ! Cependant, le lendemain soir, des clameurs, des cris et le fracas des épées poussent Achille à quitter sa tente : devant les murs de Troie, les armées ennemies s'affrontent avec acharnement.

– Le duel a été différé, explique Patrocle. Ces traîtres de Troyens ont rompu la trêve et la guerre a repris !

À cet instant arrive un autre guerrier grec. En reconnaissant Ulysse, Achille se lève pour le saluer.

– Entre, mon ami, lui dit-il. Je m'apprêtais à dîner. Avant de me révéler ce qui t'amène, viens partager un peu de viande et de vin !

Achille admire Ulysse mais il a appris à s'en méfier. Car ce héros, célèbre pour ses ruses, n'est sûrement pas venu lui rendre une simple visite de courtoisie. Le repas achevé, Ulysse déclare :

– Le roi m'envoie vers toi pour t'inviter à reprendre le combat...

– Pas question ! répond Achille qui bâille en se jetant sur son lit.

– Ne sois pas têtu, Agamemnon fait enfin amende honorable : il accepte de te rendre Briséis. Il y ajoute dix talents d'or, douze chevaux, sept esclaves et il s'engage, si Troie est prise, à te laisser charger d'or tous tes vaisseaux ! Qu'en dis-tu ?

– Trop tard, Ulysse, c'est inutile : je ne veux plus me battre.

Joignant le geste à la parole, Achille tourne le dos à ses hôtes.

– Oui, explique Patrocle en soupirant : sa colère n'est pas calmée, Achille a décidé de bouder.

Quelques jours plus tard, Patrocle a une si triste figure en entrant sous la tente d'Achille que celui-ci lui demande :

– Eh bien, les nouvelles seraient-elles si mauvaises ?

– Oui ! N'entends-tu pas les râles de nos guerriers qui agonisent à quelques pas d'ici ? Hélas, nous allons perdre la guerre. Ah, Achille, ajoute Patrocle en désignant, dans un coin de la tente, l'armure et le casque à aigrette de son ami, m'autoriserais-tu à combattre aujourd'hui en portant tes habits ?

– Bien sûr ! Ce qui est à moi t'appartient. Mais pourquoi ?..

– Ainsi vêtu, je sèmerai la terreur parmi les Troyens : en apercevant ton armure, ils croiront que tu as repris le combat.

– Va... mais je t'en conjure, sois prudent ! répond Achille en serrant son ami contre lui.

Dans l'après-midi, la longue sieste du héros est interrompue : un guerrier grec pénètre sous sa tente. Il est essoufflé et en pleurs.

– Achille ! gémit-il. Malheur sur nous ! Patrocle est mort ! Hector, le plus intrépide des Troyens, l'a transpercé de sa lance ! Il l'a même dépouillé de ton armure. Nos ennemis se disputent son corps.

À ces mots, Achille se lève pour hurler aux dieux sa douleur. Il s'arrache les cheveux, se roule à terre et se couvre le visage de poussière. Il pleure à gros sanglots en gémissant :

– Patrocle, mon frère, mon seul véritable ami !

Mort. Patrocle est mort. La souffrance que

ressent Achille décuple sa colère ; il détourne alors sa fureur :

– Maudit Hector... Où est-il ? Ah, Patrocle, je jure de te venger ! Je ne suivrai pas tes funérailles avant d'avoir tué Hector de mes propres mains !

Fou de chagrin, Achille s'arme à la hâte et se rue hors de sa tente. Il s'élance vers les murs de la ville assiégée et jette à trois reprises un cri si furieux que les Troyens, stupéfaits, en tremblent d'épouvante sur les remparts. Les chevaux eux-mêmes hennissent de frayeur. Très vite, les Grecs profitent de cette confusion : ils parviennent à ramener le corps de Patrocle tandis qu'Achille se précipite sur une douzaine d'ennemis qu'il embroche. Comme un treizième succombe, il entend, près de lui, une voix qui gémit :

– Polydore... Tu viens de tuer mon frère Polydore !

Achille se retourne vers le Troyen qui se lamente : c'est Hector en personne ! Une seconde, les deux champions s'affrontent du regard. Et la prédiction, une dernière fois, effleure l'esprit d'Achille : *Tu mourras peu après Hector.* Ainsi, en vengeant Patrocle, Achille hâtera sa propre fin. Qu'importe ! Avec un cri de fureur, il attaque le meurtrier de son ami, qui fuit !

Trois fois, les adversaires font le tour de la ville en courant, ne s'arrêtant que pour échanger de terribles coups de glaive. Épuisé, Hector s'arrête pour de bon. Il jette sa lance qu'Achille évite. Avisant alors la jugulaire de l'armure de son ennemi, Achille ajuste son coup et y plonge son glaive ! Hector, la gorge transpercée, s'effondre et expire.

Négligeant les cris de désespoir des Troyens qui ont suivi le combat depuis les remparts de la ville, Achille dépouille le cadavre de son armure. Il attache Hector par les pieds à un char, fouette les chevaux et, trois fois, fait le tour de la cité en traînant le corps dans la poussière. Puis il l'abandonne à terre, près de sa tente.

– Qu'il soit la proie des vautours et des chacals ! ordonne-t-il.

Ainsi laissé sans sépulture, l'âme du défunt ne trouvera jamais de repos. Le héros se tourne alors vers le corps de Patrocle, que les Grecs, entre-temps, ont hissé sur un bûcher funèbre.

– À présent, va, Patrocle ! murmure-t-il en étouffant un sanglot. Rejoins en paix le royaume de Pluton !

Voici Troie privée de son meilleur combattant. Mais la vengeance d'Achille est amère, elle a le goût de sa propre mort.

Dans la nuit, un bruit suspect fait bondir Achille hors de sa couche. Il n'a pas le temps de saisir son épée : déjà, des mains tremblantes entourent ses genoux. À la lueur de la lune, le héros, stupéfait, reconnaît Priam, le père d'Hector ! Comment ce vieillard est-il parvenu à quitter Troie assiégée et à s'infiltrer jusqu'ici ?

– Achille ! gémit Priam, je viens t'implorer. J'avais cinquante fils. Presque tous ont péri dans cette interminable guerre. Et tu as tué Hector, mon fils préféré ! Je t'en supplie, rends-moi son corps.

Face au désespoir et au courage de ce vieil homme qui ose se jeter aux pieds de son pire ennemi, Achille est décontenancé.

– Je t'ai apporté une rançon énorme, ajoute Priam en sanglotant.

– Relève-toi, répond le héros, ému aux larmes.

Alors, quittant sa tente, il va ramasser le cadavre d'Hector pour le rendre lui-même à son père. Il ajoute :

– Tu es épuisé, Priam. Viens donc boire et manger. Reste ici et dors sans crainte. Je fais le serment que tu rejoindras Troie à l'aube, avec le corps de ton fils, sans être inquiété.

Le bûcher funéraire de Patrocle n'aura pas le temps d'être allumé : le lendemain, après le départ de Priam, et alors qu'Achille lance un terrible assaut contre les murs de Troie, le ravisseur d'Hélène, Pâris en personne, se glisse hors de la ville – sans doute sur les conseils d'Apollon, son dieu protecteur. Il aperçoit Achille qui court et, bandant son arc, il décoche une flèche qui vient se planter... exactement sous le pied du guerrier !

Achille, dont le talon est transpercé, s'écroule. Il arrache la flèche, voit que le sang continue de couler et comprend que sa vie s'en va avec lui. L'oracle a dit vrai.

– Patrocle, je te rejoins ! hurle-t-il avant de jeter un dernier soupir.

Achille meurt. Maintenant que son destin est accompli, Troie va pouvoir tomber, ainsi que l'oracle l'a prédit. Mais comment ? Au moyen de quelle ruse ? Car Achille est mort ; et Troie est encore debout...

Les Grecs disputèrent aux Troyens le cadavre du grand Achille et le ramenèrent sous sa tente.

La belle Briséis inonda de ses larmes le corps d'un maître qu'elle n'avait pas eu le temps d'aimer. C'est elle-même qui alluma le bûcher sur lequel gisaient désormais les cadavres des deux amis fidèles. Comme le voulait la coutume, elle coupa les longues tresses de ses cheveux pour les jeter dans les flammes.

Une fois que l'on eut recueilli les cendres d'Achille mêlées à celles de Patrocle, les Grecs les enfermèrent dans une même urne, qu'ils enterrèrent au sommet d'une colline.

Aujourd'hui, les passagers des navires qui traversent l'ancien Hellespont[1] peuvent encore apercevoir cette colline. L'urne n'existe plus et les cendres, depuis bien longtemps, se sont mêlées aux ruines de Troie... Une ville que le poète Homère appelait Ilion[2], et qu'Ulysse allait prendre au moyen d'une ruse étonnante.

---

1. Aujourd'hui, détroit des Dardanelles, qui relie la mer Égée à la mer de Marmara.

2. C'est l'origine de l'*Iliade*, le grand poème d'Homère.

X

ULYSSE

LE CHEVAL DE TROIE

TOURNANT le dos aux murs de l'imprenable ville de Troie, Ulysse songeait, le regard perdu du côté de la mer toute proche...

Il songeait à Ithaque, l'île à présent lointaine dont il était le roi ; il songeait à Pénélope, son épouse, qu'il avait laissée là-bas – et à leur fils, Télémaque, qui avait dû bien grandir.

– Dix ans ! murmurait-il en dominant son chagrin. Voilà dix ans que je suis parti. Dix ans perdus à assiéger une ville. Et tout cela pour honorer un serment, et obliger Pâris à rendre la belle Hélène à son époux Ménélas...

Que de victimes durant cette interminable guerre qui continuait d'opposer les Troyens aux Grecs ! Les meilleurs avaient péri : Hector, le champion de Troie, et le héros grec, Achille. Pâris lui-même avait succombé à une flèche empoisonnée. Mais Hélène restait prisonnière. Et la ville ne se rendait toujours pas.

– Cependant, déclara une voix près d'Ulysse, la guerre va bientôt s'achever et Troie sera détruite. Oui : les oracles sont formels.

Ulysse reconnut Calchas, le vieux devin. Et comme il allait répliquer par une raillerie, une idée folle lui traversa l'esprit.

– Tu rumines quelque ruse, n'est-ce pas, Ulysse ? dit le vieillard.

Le roi d'Ithaque approuva avant d'ajouter avec agacement :

– Comment devines-tu mes pensées avant que je les exprime ?

– Tu oublies, répondit Calchas, que c'est là mon métier. Et chacun sait que de nous tous, tu es sans doute le plus avisé. Parle !

– Non. Je dois réfléchir. Puis livrer mon projet à nos alliés.

Le même soir, le roi Agamemnon rassembla tous les chefs de la Grèce qui faisaient le siège de Troie. Ulysse alors leur déclara :

– Voilà : nous allons construire un immense cheval de bois...

– Un cheval ? fit Agamemnon qui attendait un plan de bataille moins farfelu.

– Oui. Un cheval si grand que nous ferons monter en secret dans ses entrailles cent de nos guerriers parmi les plus vaillants. Pendant ce temps, nous démonterons nos tentes et nous rejoindrons nos vaisseaux. Il faut que les Troyens voient nos navires cingler loin du rivage.

L'un des compagnons d'Ulysse, qui s'appelait Sinon, s'exclama, scandalisé :

– Tu es fou ! Ainsi, tu veux lever le siège ?

– Attends, Sinon : tu oublies les cent Grecs dissimulés dans le cheval ! D'autre part, l'un de nous restera auprès de la statue. Après notre départ, il sera capturé par les Troyens. Voilà ce que cet espion leur dira : lassés du siège, les Grecs rejoignent leurs patries. Pour que Minerve leur soit favorable, ils lui ont bâti ce cheval...

– Minerve ? s'étonna Agamemnon. Mais Minerve est la protectrice de nos ennemis ! Elle y a sa statue à Troie, dans le Palladium !

– Justement : nos ennemis croiront que nous voulons nous accorder ses bonnes grâces ! expliqua Ulysse. Je suis sûr que pour ne pas offenser Minerve, les Troyens feront entrer dans leur ville ce cheval qui lui aura été dédié.

– Je vois ! admit Agamemnon. Mais jamais cent de nos guerriers, fussent-ils les meilleurs, ne viendront à bout des Troyens. Veux-tu donc, Ulysse, jeter notre élite dans la gueule du loup ?

– Non. Je veux au contraire nous ouvrir la bergerie. Car ce cheval sera si gigantesque qu'il ne pourra passer par aucune des portes de la ville : les Troyens devront abattre les murs pour le faire entrer !

– Crois-tu qu'ils prendront ce risque ? demanda le roi.

– Oui, s'ils sont persuadés que nous avons levé le camp, et s'ils voient disparaître nos navires à l'horizon ! En réalité, ceux-ci gagneront l'île de Ténéos, toute proche. Une fois le cheval dans la ville, notre espion, la nuit venue, au moment qu'il jugera propice, allumera un feu sur les remparts. Nos armées débarqueront avant l'aube et pénétreront dans la cité.

Épéios, le charpentier qui avait construit les baraquements, se leva pour clamer :

– Ce stratagème me plaît ! Construire un tel cheval me paraît possible : le mont Ida, tout proche, regorge de chênes centenaires.

– Quant à moi, ajouta le courageux Sinon, je veux bien être celui qui restera auprès de ce cheval ! Je duperai les Troyens ; une fois la statue géante installée dans la ville, je ferai sortir de ses entrailles ceux qui y seront dissimulés !

– C'est risqué, murmura Agamemnon en caressant sa barbe. Les Troyens peuvent te tuer, Sinon. Ils peuvent aussi ne jamais faire entrer ce cheval – ou découvrir très vite ceux qui y sont cachés.

– Certes ! lança Ulysse. Mais n'êtes-vous pas las de cette guerre ? Et n'avez-vous pas hâte de rentrer chez vous ?

Des cris unanimes lui répondirent : ce siège avait assez duré. Aux yeux des Grecs, tous les risques valaient mieux que prolonger l'attente.

Du haut des remparts de sa ville, le roi Priam, stupéfait, observait ses ennemis : ils étaient occupés à brûler les baraques de leurs campements, à plier leurs tentes et à regagner leurs vaisseaux.

– Les Grecs s'en vont ! s'étonnait-il. Ils lèvent le siège !

– Mon père, ne vous y fiez pas. C'est une ruse, elle nous perdra...

Cassandre, la prophétesse de la ville, était loin de partager l'optimisme de son père. Hélas ! nul ne prêtait jamais foi à ses prédictions.

Cassandre était si belle qu'Apollon lui-même avait été séduit. Elle lui avait dit : « Je veux bien t'appartenir mais accorde-moi d'abord le don de prophétie. » Apollon avait consenti. Une fois ce don obtenu, Cassandre avait rejeté le dieu en se moquant de lui. Jugeant indigne de retirer ce qu'il avait donné, Apollon avait déclaré : « Soit... tu sauras lire l'avenir, Cassandre, mais nul ne croira jamais tes prédictions ! »

– C'est une ruse, mon père, je le sais, je le sens...

– Allons, Cassandre, ne dis pas de bêtises : si les Grecs voulaient revenir, ils ne détruiraient pas ces bâtiments qu'ils ont mis tant de temps à construire ! Vois, plusieurs vaisseaux ont déjà pris la mer.

– Mon père, vous souvenez-vous de ce que j'ai prédit quand Pâris est revenu ici avec la belle Hélène, il y a dix ans de cela ?

– Oui ! Je me souviens que tu as déchiré le voile d'or de ta coiffe... Tu t'es arraché les cheveux et tu as pleuré en prophétisant la perte de notre ville. Tu avais tort : nous avons tenu le siège et gagné ! Cassandre, ajouta Priam, mes yeux sont trop usés pour voir ce que les Grecs sont en train de construire sur le rivage, qu'est-ce ?

– Cela ressemble à une statue, dit-elle. Une grande statue en bois.

Trois jours plus tard, les Troyens durent se rendre à l'évidence : les Grecs étaient partis ! Du haut des remparts, on ne distinguait que la plaine déserte où tant d'hommes étaient tombés – et là-bas, sur la mer, les dernières voiles des vaisseaux ennemis. Sur la plage, l'étrange monument que les Grecs avaient abandonné intriguait le roi Priam qui déclara :

– Allons voir ce que c'est !

Pour la première fois depuis dix ans, les portes de la ville furent grandes ouvertes.

Quand les Troyens découvrirent sur le rivage un somptueux cheval de bois plus haut qu'un temple, ils ne purent retenir leur surprise et leur admiration.

– Priam ! hurla un Troyen qui s'était aventuré sous l'animal. Nous venons de dénicher un guerrier grec, ligoté à l'une des pattes !

Ils coururent détacher l'inconnu et le pressèrent de questions. Mais l'homme refusait de répondre.

– Qu'on lui tranche le nez et les oreilles ! ordonna Priam.

Mutilé, torturé, l'infortuné Grec finit par avouer :

– Je m'appelle Sinon. Oui, nos vaisseaux sont repartis ! Sur les conseils du devin Calchas, les Grecs ont construit cette offrande à Minerve afin que la déesse pardonne l'offense faite à votre ville. Pour obtenir une mer favorable, Ulysse a voulu me noyer et m'immoler à Neptune. Mais je me suis échappé et réfugié sous la statue. Pour ne pas déplaire à Minerve

à qui il demandait protection, Ulysse s'est contenté de m'attacher ici.

– Une offrande à Minerve ! s'exclama Priam, émerveillé.

– La laisserons-nous sur la plage, exposée au vent et à la pluie ? demandèrent plusieurs Troyens.

– Oui ! frémit Cassandre. Mieux encore : brûlons cette offrande impie. C'est un cadeau empoisonné que nos ennemis nous ont fait.

– Tais-toi, répondit le roi à sa fille. Qu'on bâtisse une plate-forme ! Qu'on apporte des rondins ! Qu'on amène ce cheval dans notre cité, près du temple édifié en l'honneur de la déesse !

Ce fut un travail plus long et plus difficile que prévu. Mais un soir, le cheval fut enfin amené en triomphe devant les Troyens massés sur les remparts. Hélas, les portes étaient trop étroites pour le faire passer. Après un regard vers la plaine désertée, Priam ordonna :

– Qu'on abatte l'un des murs de la ville !

– Mon père, prédit sa fille en frissonnant, je vois notre cité en flammes, j'aperçois mille cadavres qui jonchent ses rues !

Personne n'écoutait Cassandre : les Troyens étaient subjugués par ce cheval splendide et monstrueux à la fois, aux oreilles dressées et aux yeux sertis de pierres précieuses.

L'animal fut poussé jusqu'au temple de Minerve où débuta une grande fête qui réunit tous les Troyens rescapés : la guerre était finie, les Grecs étaient partis, et ce cheval arrivait à point nommé pour célébrer une victoire qu'on n'attendait plus !

Nul ne prenait plus garde à Sinon qui avait été épargné. Se glissant parmi les noceurs, l'espion grec gagna les remparts déserts ; il y construisit un grand bûcher et, avant d'y mettre le feu, il attendit que les Troyens s'écroulent, ivres de danses et de vin.

Au fil des heures, à l'intérieur du cheval, Ulysse et ses compagnons comprenaient que leur stratagème avait réussi ! Ils avaient entendu le fracas des murailles abattues, les cris de joie et de victoire des Troyens, puis la rumeur de la fête qui, à présent, s'était tue. Soudain, une voix de femme surgit sous les pieds des guerriers silencieux :

– Ah, chers compatriotes, pourquoi m'avez-vous abandonnée ? Mon époux, à cette heure, où es-tu ? Sais-tu qu'après la mort de Pâris, c'est Déiphobe, son propre frère, qui m'a forcée à partager son lit ? Et toi, brave Ulysse, es-tu aussi parti ?...

C'était la belle Hélène. Ménélas s'apprêtait à lui répondre, mais Ulysse lui plaqua la main sur la bouche. Longtemps, Hélène gémit sous le cheval. Puis sa voix s'éloigna. Mais une autre jaillit :

– Ulysse ? Diomède ? Ajax ? Néoptolème ? Ménélas ? C'est Sinon qui vous parle ! Les Troyens sont tous assoupis ! Voici plusieurs heures que j'ai allumé le signal. L'aube approche... Vite, sortez !

Aussitôt, à l'intérieur de la statue, Épéios enleva les cales qui retenaient le poitrail. La paroi bascula. Ulysse fit tomber des cordes. Et cent guerriers armés sortirent un à un des entrailles du cheval. Au même moment, les navires grecs, poussés par un vent favorable, débarquaient sur la grève. Les armées d'Agamemnon s'élancèrent vers Troie éventrée. Tandis que les Grecs surgis du cheval envahissaient la cité endormie, Ulysse lançait de furieux cris de ralliement.

Les Troyens eurent à peine le temps de comprendre ce qui arrivait : la plupart périrent à peine réveillés. Les plus valeureux, mal remis de leur beuverie nocturne, n'offrirent qu'une résistance dérisoire. Les moins téméraires ne durent leur salut qu'à la fuite.

Tandis que le caniveau des rues ruisselait du sang des Troyens égorgés, Néoptolème, le fils d'Achille, découvrait Priam à genoux devant l'autel de Jupiter. Sans pitié, il égorgea le roi. Plus loin, Ménélas dénichait Hélène dans le logis de Déiphobe, le frère de Pâris. Il le tua d'un coup de lance avant de s'élancer vers son épouse retrouvée. Ajax, en entrant dans un temple, trouva la belle Cassandre au pied de la statue de Minerve.

– Ah ! s'exclama-t-il, voilà si longtemps que je te voulais à moi !

Pendant que la fille de Priam était déshonorée, la déesse de pierre, dit-on, détourna la tête.

Quand le jour se leva, il ne restait de Troie que des ruines ; ce qui n'était pas détruit achevait de brûler. Déjà, les Grecs chargeaient leurs navires avec le butin de la ville dévastée. Ulysse, face à l'étonnant cheval qui avait assuré la victoire, dut soudain s'écarter : une femme d'une stupéfiante beauté passait, indifférente à ce carnage qu'elle avait indirectement provoqué. C'était Hélène. Les guerriers, muets d'admiration, s'arrêtaient pour la contempler.

Ulysse sentit monter en lui une étrange amertume.

– Allons ! dit-il soudain à ses hommes qui regagnaient son navire. Cette fois, la guerre est finie, rejoignons notre bonne île d'Ithaque !

Pour lui-même, il ajouta : « Et Pénélope, ma chère épouse, qui m'attend depuis dix ans ».

Hélas, Ulysse ignorait qu'il n'était pas près de rejoindre sa patrie ! Les dieux en décideraient autrement : dix autres années passeraient avant qu'il ne rentre. Le temps d'une longue odyssée[1].

---

1. Les plus célèbres aventures d'Ulysse commencent ici. Elles sont relatées par Homère dans l'*Odyssée*, un mot grec (*Odusseus*) qui signifie... Ulysse.
Lire *Contes et Légendes – L'Odyssée*, de Jean Martin.

XI

Pénélope

« Dis, quand reviendras-tu ?...»

Tournant le dos à la foule de ses prétendants rassemblés, Pénélope tissait, le regard perdu vers la mer. Parfois, un long soupir s'échappait de sa poitrine. Elle songeait à Ulysse, son époux parti depuis vingt ans, et se surprenait parfois à fredonner :

« Dis, quand reviendras-tu ?... »

Souvent, elle s'adressait ainsi à celui qu'elle continuait d'aimer, prolongeant indéfiniment l'écho de sa présence.

– Pénélope, lui lança soudain Eurymaque. tu dois choisir l'un d'entre nous ! À l'heure qu'il est, Ulysse est mort, tu le sais bien.

Pénélope n'en croyait pas un mot. Dix ans auparavant, elle avait appris que grâce à une ruse de son mari, la ville de Troie avait enfin été prise et rasée.

Mais à ses yeux, il n'y aurait de vraie victoire qu'au retour de son époux.

– Ithaque a besoin d'un roi ! Quand te décideras-tu à te remarier ?

– Dois-je te le répéter, Eurymaque ? répondit-elle doucement, je me remarierai quand j'aurai achevé mon ouvrage.

– Voilà trois ans que tu travailles à ce linceul ! grommela Antinoos, un autre prince de l'île. Je trouve que tu tisses bien lentement !

Tisser un linceul était un travail sacré. De plus, celui-ci était destiné à Laerte, le père d'Ulysse qui était aujourd'hui bien vieux. Perfide, Eurymaque ajouta :

– Oui, ton ouvrage avance mal, Pénélope. À

mon avis, tu devrais te hâter car les jours de Laerte sont comptés.

Pénélope frémit sans oser répliquer. De jour en jour, les prétendants au trône s'impatientaient. Quant à son fils Télémaque, il était parti à la recherche de son père. Seule, Pénélope avait de plus en plus de mal à contenir l'impatience de tous ces nobles qui voulaient l'épouser pour prendre le pouvoir. Fidèle à Ulysse, la reine avait perdu sa jeunesse – mais pas l'espoir. Elle gagna ses appartements sans un regard pour ces hommes cupides.

L'aube était encore loin quand Pénélope se leva. Elle quitta sa chambre à pas feutrés et rejoignit la grande salle du palais. S'approchant du linceul, elle tira le fil qui dépassait et entreprit de détisser ce qu'elle avait accompli la veille. Voilà en effet pourquoi son ouvrage n'avançait pas : depuis de nombreux mois, Pénélope défaisait chaque nuit le travail de toute sa journée !

Soudain, elle entendit un bruit, se retourna et reconnut une servante qui, étonnée, observait le manège de sa maîtresse.

– Attends ! s'écria Pénélope. Ne t'en va pas, je vais t'expliquer !

Mais la jeune fille s'était éclipsée. Et quand Pénélope, au matin, entra dans la salle du palais, elle fut accueillie par cent regards sévères ou goguenards. Furieux, Eurymaque s'exclama :

– Pénélope, tu t'es moquée de nous ! Ta servante nous a expliqué ton stratagème ! ajouta-t-il en désignant le linceul. Cette fois, tu ne t'en tireras plus par une traîtrise. Aujourd'hui, tu épouseras l'un de nous !

Dans un coin de la pièce, plusieurs prétendants étaient vautrés sur des sièges. D'autres avaient apporté des tonneaux et commencé à boire le vin des chais royaux. Les plus hardis donnaient déjà des ordres aux serviteurs comme si le palais leur appartenait. Pénélope comprit qu'elle était perdue : si elle ne choisissait pas un mari, ces nobles allaient s'affronter et mettre le palais à sac. Parmi eux, Eurymaque, le plus riche et le plus puissant, avait l'arrogance de celui qui est sûr d'être l'élu.

– Ah, Ulysse, murmura Pénélope désespérée, quand reviendras-tu ?

– Bientôt, lui chuchota à l'oreille une voix familière.

Le jeune homme qui venait de rejoindre la reine n'était pas Ulysse... mais Télémaque ! Son fils unique était enfin là. Pénélope se précipita dans ses bras. Les prétendants restèrent un moment décontenancés par cette irruption inattendue. Le fils d'Ulysse avait grandi en force et en beauté ; son retour contrariait les projets des cent prétendants. Mais Eurymaque, plein de morgue, lança :

– Eh bien, Télémaque, as-tu retrouvé ton père ?

– Non. Mais je sais qu'il est vivant. Et qu'il sera là d'ici peu.

– Dis-moi, ajouta Antinoos en observant Télémaque, tu as du poil au menton, à présent... Qu'en dis-tu, Pénélope ?

La mère de Télémaque approuva en tremblant. Tous savaient qu'avant de partir, Ulysse avait dit à sa femme : *Si je ne reviens pas, attends pour te remarier que notre fils porte la barbe.*

Cette fois, Pénélope n'avait plus aucune raison de reculer. Mais prendre un protecteur lui était odieux. Et parmi ces hommes qu'elle détestait, aucun ne valait mieux que l'autre. Comme elle allait répondre, un serviteur et un mendiant se présentèrent.

– Eumée ! s'exclama Pénélope en souriant. Entre, tu es le bienvenu.

Eumée était le vieux gardien des cochons du palais. Il s'inclina et désigna l'homme qui l'accompagnait. C'était un mendiant en haillons, encore plus âgé et plus sale que lui.

– Grande reine, dit Eumée, ce voyageur demande l'hospitalité.

– Viens, brave homme, dit Pénélope en tendant la main à l'inconnu. Mange, bois et prends du repos : tu es chez toi dans mon palais.

– Ce palais, coupa Eurymaque, appartiendra désormais à l'homme que tu épouseras. Maintenant, nous te sommons de le choisir !

Les cent prétendants assemblés approuvèrent, menaçants. Et tandis que les conversations reprenaient, Pénélope fut intriguée par le comportement du vieux chien de son époux : l'animal, qui était aujourd'hui aveugle et quasi infirme, avait quitté en rampant sa couche, toute proche du trône vide du roi ; arrivé aux pieds du mendiant, il leva la tête, gémit faiblement et lécha les mains du voyageur qui le caressait. Après quoi la bête, qui semblait sourire, rendit son dernier soupir dans les bras du voyageur accroupi.

– Espèce de méchant pouilleux, file d'ici ! lui jeta Eurymaque.

– Non, ordonna Pénélope, saisie d'un pressentiment. Euryclée, apporte un bassin d'eau tiède et lave les pieds de notre hôte.

Euryclée était la plus ancienne servante du palais. Autrefois, elle avait été la nourrice d'Ulysse. Elle s'empressa d'obéir à sa maîtresse, qui ne faisait que respecter les traditions de l'hospitalité.

Avant d'aller s'asseoir, le mendiant se pencha à l'oreille de Pénélope pour lui chuchoter :

– Dis que tu épouseras celui qui saura bander l'arc de ton époux !

Stupéfaite, Pénélope dévisagea l'inconnu auprès duquel Euryclée s'empressait. Non, il était trop vieux et trop laid pour être son mari déguisé. Pourtant, c'eût bien été son style de s'introduire ainsi incognito, pour confondre ses ennemis.

Relevant la tête, Pénélope, troublée, répéta mot pour mot :

– Soit : j'épouserai... celui qui saura bander l'arc de mon époux !

Surpris, les prétendants se consultèrent du regard. Le premier, Eurymaque réagit :

– Tu nous lances un défi ? Et si vingt d'entre nous y parvenaient ?

– En ce cas, répliqua Télémaque, ma mère organiserait un concours de tir, et elle épouserait le vainqueur.

Pénélope se tourna vers son fils. Ce n'était guère dans sa manière, de prendre de telles initiatives. L'absence et les épreuves l'avaient sans doute mûri. À cet instant, la vieille nourrice d'Ulysse poussa un cri ; elle venait de découvrir une cicatrice au genou du mendiant.

– Oh, c'est une vieille blessure, disait-il, elle ne me fait plus souffrir.

Déjà, Télémaque revenait avec l'énorme arc de son père et plusieurs carquois remplis de flèches. Il était accompagné de Philétios, un fidèle serviteur qui portait une douzaine de haches.

– Je l'essaierai le premier ! décréta Eurymaque.

Il saisit la corde, la tendit si fort que son visage s'empourpra.

– N'insiste pas, railla Antinoos. Le bois n'a même pas plié !

Il prit l'arc à son tour et essaya de le bander. Sans succès.

– Donne-le-moi, fit un autre prétendant en bousculant ses compagnons.

Il échoua comme les deux premiers. Les heures coulèrent. Et quand la nuit tomba, aucun homme n'avait pu décocher la moindre flèche. C'est alors que la voix du vieux mendiant s'éleva :

– Peut-être faut-il assouplir cet arc ? Vous permettez ?

Avant qu'aucun ne songeât à s'interposer, Télémaque tendait l'arme à l'inconnu et poussait Pénélope vers la porte.

– Mère, lui murmura-t-il, il vaut mieux que vous partiez.

Elle voulut protester. Mais sur un signe de son fils, Philétios l'obligea à quitter la pièce ;

une fois sortie, Pénélope entendit que l'on poussait les loquets. Songeuse, elle retourna dans ses appartements. Soudain, elle aperçut dans la chambre de son fils des dizaines d'épées, de lances et de glaives entassés.

– Mais... ce sont les armes de mes prétendants ! Qui a ordonné qu'on les rassemble ici ? Et pourquoi ?

Venant de la salle du palais, une immense clameur et des cris d'effroi lui répondirent. Alors un fol espoir envahit son cœur...

Devant les prétendants ébahis, le vieux mendiant venait, sans effort, de bander le grand arc d'Ulysse ! Profitant de leur surprise, Télémaque, lui, avait fixé en étoile les douze haches au mur, en superposant les trous qui perçaient l'extrémité de chaque manche. L'orifice unique qu'ils offraient était ainsi devenu le centre d'une énorme cible. Télémaque s'exclama :

– Souvenez-vous ! Seul mon père pouvait

bander son arc ! Et nul autre que lui n'avait jamais atteint un but aussi petit !

Sans se troubler, le mendiant visa... et tira. La flèche traversa la pièce et vint se planter au centre de la cible. Un cri jaillit, se multiplia, où se devinaient la stupeur et l'effroi :

– C'est Ulysse !

– Ce ne peut être que lui. Pourtant, c'est impossible !

Alors, le mendiant arracha ses haillons d'un coup.

– Oui ! gronda-t-il. C'est moi, Ulysse, votre maître ! Ce matin, les Phéaciens m'ont déposé sur la grève d'Ithaque. Et grâce à Minerve, qui a su me vieillir et me déguiser, vous voilà enfin confondus. Ah, vous dilapidiez mes richesses ? Vous convoitiez mon épouse ? Vous cherchiez à me supplanter ?

– Qui t'a raconté ces sornettes ? fit Eurymaque en grimaçant.

– Eumée, mon fidèle porcher ! Sans me reconnaître, il m'a accueilli. Grâce à lui, je connais votre fourberie ! Avec son aide et celle de mon fils, aucun de vous ne m'échappera.

Eurymaque eut un mouvement pour fuir. Mais le brave Philétios gardait la porte, cadenassée. Antinoos, lui, voulut saisir son glaive. Mais comme tous les autres prétendants, il comprit qu'il était désarmé. Alors il s'élança vers les haches. Une flèche lui traversa la gorge et l'arrêta dans son élan. Déjà, Ulysse en saisissait une autre et hurlait :

– Télémaque, Philétios, Eumée... écartez-vous !

Dans la nuit, Pénélope sursauta : un inconnu se tenait là, au seuil de sa chambre. Elle se leva, s'approcha de l'homme et tenta de l'identifier à la lueur de la lune.

– Eh bien, Pénélope, murmura-t-il, tu ne me reconnais pas ?

Tremblant des pieds à la tête, elle n'osait comprendre. Le voyageur était accompagné de Télémaque et d'Euryclée.

– C'est lui, maîtresse ! assura la nourrice dans un sanglot.

– C'est lui, confirma Télémaque. Mère, doutez-vous encore ?

Elle doutait. Elle ne voulait pas croire à ce trop grand bonheur qui balayait soudain ces peines accumulées.

– Ainsi, murmura Ulysse la gorge serrée, seuls deux êtres m'auront reconnu : mon chien, qui m'a attendu pour mourir ; et ma nourrice, qui a identifié la blessure au genou que me fit autrefois un sanglier. Mais toi, Pénélope, ma propre épouse, tu ne me reconnais pas ?

Non : cet Ulysse qui avait surgi aujourd'hui lui semblait plus étranger que le fantôme familier avec lequel elle s'entretenait et dont elle avait cultivé le souvenir.

– Minerve, éclaire-moi ! implora-t-elle.

La déesse l'entendit : d'un coup, Ulysse fut vêtu d'un riche manteau, et son visage prit l'éclat et la beauté de celui des héros.

– Pour te prouver qu'il ne s'agit pas là d'une ruse des dieux, ajouta-t-il, je vais te donner la preuve que je suis ton époux : vois-tu notre lit ? Qui d'autre que moi pourrait te le décrire avec précision ?

Il le fit, et livra de tels détails que Pénélope, bientôt, se précipita dans ses bras.

– Ulysse, balbutiait-elle dans ses larmes en ne cessant de palper le visage aimé. Ulysse, enfin, c'est toi ! Oui, tu es revenu...

– Vingt ans après, acheva-t-il. Et après quels voyages...

– Moi, lui répondit-elle, je n'ai pas quitté l'île d'Ithaque. Cependant, j'ai l'impression d'être une naufragée qui erre depuis vingt ans et aperçoit enfin la terre ferme !

Ils s'étreignirent. Télémaque et Euryclée quittèrent la chambre sur la pointe des pieds. Et Minerve, dans sa bienveillance, prolongea indéfiniment la nuit de retrouvaille des deux époux.

Au matin, quand ils revinrent dans la salle du trône, il ne restait aucune trace des massacres de la veille. Pénélope aperçut alors, abandonné dans un angle, son ouvrage inachevé. Elle se souvint des années passées à attendre son époux et soupira.

– Qu'est-ce ? demanda le roi d'Ithaque en palpant le tissu.

– Une toile que je tissais... pour passer le temps.

Elle tira sur le fil. Et c'était comme si Pénélope revenait en arrière, comme si s'effaçaient en accéléré l'impatience, l'attente et les ans. Bientôt, il ne resta plus rien de l'ouvrage tant de fois recommencé. Rien qu'un souvenir lancinant et douloureux.

– Qu'importe, à présent ? dit-elle en soupirant.

Oui : le linceul du vieux Laerte pouvait attendre : Ulysse, Pénélope et lui vivraient encore très, très longtemps.

XII

Romulus et Rémus

De la mort de Troie à la naissance de Rome...

Tandis que les Grecs, grâce à Ulysse, parvenaient à s'introduire dans Troie pour la détruire, l'un des princes de la ville, Énée, comprit que rien ne pouvait plus sauver sa cité.

Fils de Vénus, Énée était, après Hector, le plus courageux des Troyens. Mais Troie était la proie des flammes.

Créuse, la femme d'Énée, venait d'être massacrée. Et s'il voulait sauver son fils et son vieux père, Énée devait fuir.

Il se précipita dans la chambre du jeune Ascagne, qu'il trouva terré dans un coin ; il le prit par la main, l'entraîna dans la pièce voisine. Là se tenait un vieillard résigné.

– Mon père... Vite, suivez-nous !

– Impossible, mon fils, murmura Anchise. Je ne peux plus marcher.

Alors, Énée hissa son père sur son dos. Bravant le carnage et les flammes, il parvint au Palladium : il voulait sauver du pillage les précieuses Pénates, les dieux protecteurs de la cité. Il glissa les statuettes sacrées dans son sac. Levant la tête, il implora :

– Ô ma mère, m'accorderez-vous votre protection ?

Du haut de l'Olympe, la déesse Vénus entendit sa prière : elle détourna l'attention des Grecs et permit à son fils de quitter Troie. Énée partit, tenant Ascagne par la main et portant son vieux père sur le dos. Accompagné de quelques Troyens rescapés, le trio parvint à embarquer et à gagner la Thrace. Les aventures d'Énée ne s'arrêtèrent pas là : il se rendit en Crète, en Sicile et même en Afrique où il fut recueilli par la reine de Carthage, la belle Didon, qui le retint longtemps et l'aima[1]...

Ensuite, Énée rejoignit l'Italie où il vécut longtemps.

Après sa mort, Ascagne fonda une ville : Albe-la-Longue. Douze générations plus tard, son descendant légitime, Numitor, commençait à régner. Mais son frère Amulius ne l'entendait pas de cette oreille...

Ce matin-là, en arrivant dans le palais, Numitor eut la surprise d'apercevoir Amulius assis sur le trône à sa place. Avant qu'il ait pu réagir, des gardes s'emparaient du roi.

– Eh oui ! ricana Amulius. De quel droit le pouvoir revient-il toujours à l'aîné ? J'ai

1. C'est le sujet de l'*Énéide*. Son auteur, Virgile, a voulu poursuivre l'*Iliade* et l'*Odyssée* d'Homère.

décidé de réparer cette injustice. Et puis tu me semblais trop mou pour faire un roi !

Numitor n'aimait ni les querelles ni la guerre. Il voulait éviter un massacre et murmura :

– Mon frère, reste donc sur ce trône puisque tu le désires tant. Tu peux même me tuer. Mais j'implore ta pitié : épargne mes enfants !

– Crois-tu que je prendrais un tel risque ? C'est trop tard : j'ai donné des ordres.

À cet instant, des gardes surgirent, portant les cadavres de deux garçons. Rhéa Silvia, la fille de Numitor, les suivait en sangotant ; elle vint se jeter dans les bras du roi prisonnier.

– Oh, mon père, gémit-elle, mes supplications n'y ont rien fait : ces brutes ont égorgé mes frères sous mes yeux !

Numitor serra sa fille contre lui. Pointant le doigt vers son frère, il gronda en essayant de dominer son chagrin :

– Tu es un sombre assassin, Amulius. Nous sommes en ton pouvoir. Mais redoute la colère des dieux ! Si tu n'épargnes pas ma fille, je conjure Mars, le protecteur de notre ville, de te réserver le châtiment que tu mérites.

Devant cette menace en forme de prophétie, Amulius frémit.

– Je te laisse la vie sauve, Numitor, décida-t-il à regret. Je te cède même quelques arpents de terre et des troupeaux. Mais je t'interdis l'accès d'Albe-la-Longue ! Tu vivras loin d'ici, comme un paysan.

Hésitant, l'usurpateur se tourna vers Rhéa Silvia. Il craignait que la fille de Numitor ait un jour des enfants ; en grandissant, ceux-ci deviendraient des rivaux et ils lui réclameraient le trône. Mais s'il la tuait, il appellerait sur lui la colère de Mars. Que faire ?

Soudain, il eut l'idée d'une ruse qui lui permettrait de résoudre ce dilemme. Il décréta :

– Soit. Je t'épargne également, Rhéa ! Mieux : je te nomme prêtresse et gardienne du feu sacré ! Qu'il soit fait comme j'ai dit !

Aussitôt, les gardes conduisirent Rhéa Silvia au temple consacré à Vesta, la déesse protectrice des foyers. La fille du roi déchu rejoignit les autres jeunes filles des meilleures familles de la ville dont la tâche consistait à entretenir le feu sacré. Les vestales, ainsi les appelait-on, n'avaient pas le droit de se marier ni d'avoir des enfants. Elles étaient recrutées très jeunes et devaient officier trente ans. Si l'une d'elles fréquentait un homme ou laissait éteindre le feu, elle était enterrée vivante ! Amulius était sûr de n'être jamais inquiété...

Quelque temps plus tard, alors que Rhéa Silvia allait puiser de l'eau à la fontaine sacrée, elle rencontra un jeune homme dont la beauté la troubla. Elle s'en détourna aussitôt mais l'inconnu la saisit par la main :

– N'aie crainte, lui dit-il. Je suis le dieu Mars. Tu me plais, Rhéa Silvia. Et j'ai décidé que tu deviendrais la mère de mes enfants.

Incrédule et affolée, la jeune fille se dégagea et s'enfuit. Mais la nuit suivante, le même homme lui apparut dans un songe ; il était souriant, et nimbé d'une clarté divine. Rhéa était en extase. Comment résister au dieu Mars – surtout quand celui-ci vous rend visite en rêve ?...

Quelques semaines plus tard, Rhéa Silvia comprit qu'elle était enceinte. Quand il lui fut impossible de cacher la vérité, elle alla trouver la grande prêtresse. Elle se jeta à ses pieds en lui expliquant la visite du dieu pendant la nuit.

– Je sais que la mort m'attend ! Mais par pitié, laissez naître et vivre mon enfant !

Aussi émue qu'intriguée, la grande prêtresse attendit que Rhéa Silvia mette au monde non pas un bébé, mais des jumeaux. Après quoi elle se rendit au palais pour en informer Amulius. La colère du roi fut terrible.

– Qu'on enferme cette parjure dans un caveau ! ordonna-t-il. Et que ses maudits rejetons soient noyés dans le Tibre !

Le fleuve était en crue. La grande prêtresse hésitait : et si la jeune vestale avait dit vrai ? Si ces enfants étaient vraiment ceux du dieu Mars ? Aussi, au lieu de les précipiter dans les

eaux, elle résolut de les placer dans un berceau en osier qu'elle confia au fleuve en furie. Si ces jumeaux étaient les fils du dieu, celui-ci trouverait sûrement le moyen de les protéger.

Tandis que leur mère agonisait dans sa prison, les deux bébés, entraînés par le courant, hurlaient de frayeur et de froid. Ils voguèrent ainsi à la dérive toute la nuit et la journée du lendemain. Mais le soir, le berceau s'échoua sur la rive, entre les racines d'un figuier, au pied d'une colline boisée : le mont Palatin. C'était l'heure où les animaux sauvages descendaient se désaltérer au fleuve. L'un d'eux, une louve qui venait de mettre bas, fut intriguée par les cris des nourrissons. Elle les saisit délicatement dans sa gueule et les emmena l'un après l'autre dans la grotte qui lui servait de tanière. Mêlés aux jeunes louveteaux, les jumeaux affamés se précipitèrent sur les mamelles gonflées de leur mère adoptive...

Quelques mois plus tard, les bébés étaient

devenus très robustes. Ils passaient leur temps à ramper, à jouer et à chahuter avec leurs frères de lait. Mais un jour, en passant par là, un berger nommé Faustulus fut intrigué par des gazouillements et des cris joyeux qui s'échappaient de la grotte. Il entra et laissa éclater sa surprise :

– Des enfants ! Avec des louveteaux ! Je ne peux pas les laisser dans cette tanière...

Sans attendre le retour de la louve, il s'empara des jumeaux et les ramena chez lui. Son épouse, Laurentia, fut transportée de joie.

– Ils sont magnifiques ! Et tu dis qu'ils ont été recueillis et élevés par une louve ?

– Oui. C'est un miracle qu'ils soient encore en vie.

– Ils sont protégés des dieux ! Oh, Faustulus, adoptons-les.

– Comme ils se ressemblent ! nota le berger.

– Nous les appellerons... Romulus et Rémus.

Les jumeaux grandirent en force et en complicité. Devenus adolescents, ils gardèrent les troupeaux de Faustulus. Leur vigueur était si grande qu'on leur demanda de débarrasser la région des brigands qui l'infestaient. Ils y parvinrent si bien que leurs exploits attirèrent autour d'eux une troupe de jeunes gens intrépides. Leur renommée grandit.

Mais un jour, à la suite d'une querelle avec les bergers de Numitor, Rémus fut capturé et traîné devant le roi en exil. La ressemblance du jeune homme avec sa fille Rhéa Silvia l'intrigua et raviva sa douleur. Numitor avait fini par apprendre qu'avant de mourir, sa fille avait mis des enfants au monde. Troublé, il demanda :

– Ainsi, tu t'appelles Rémus ? Et tu as un frère jumeau ! Où est-il ?

– Ici ! clama Romulus en entrant, un glaive à la main.

À sa suite, Faustulus apparut. Il connaissait la tolérance de Numitor et ne doutait pas dissiper ce malentendu. Il déclara :

– Pardonne l'impétuosité de mes fils, Numitor.

– Tes fils ? Tu serais le père de ces jeunes gens ?

Face au scepticisme de Numitor, Faustulus

jugea qu'il était préférable de dire la vérité. Et devant les jumeaux abasourdis :

– Non ! avoua-t-il. Il y a vingt ans, je les ai arrachés à la louve qui les avait recueillis. Ces bébés avaient été abandonnés...

Aussitôt, Numitor comprit. Il ouvrit les bras :

– Vous êtes les fils de ma fille Rhéa Silvia ! Romulus, Rémus... mes petits-enfants ! Ah, comme je suis heureux !

Pendant la soirée et la nuit qui suivit, les jumeaux se firent raconter l'étrange histoire de leur sauvetage.

– Brave Faustulus, soupira Numitor. Sans toi, ils auraient péri !

– Sans toi, dit Rémus... et sans la louve qui nous a sauvé la vie !

– Si je comprends bien, ajouta Romulus, notre oncle Amulius a usurpé le pouvoir ? C'est toi qui devrais régner sur Albe ?

– Oh, je suis trop vieux à présent, c'est une histoire oubliée !

– Peut-être, répliqua Rémus. Mais nous

sommes tes héritiers. Si nous voulons un jour régner, tu dois remonter sur ce trône dont tu as été injustement écarté. Qu'en dis-tu, Romulus ?

La question était inutile : les jumeaux étaient si proches l'un de l'autre, dans les actes comme dans les pensées, qu'ils se précipitèrent d'un même élan hors de la maison de leur grand-père. Rejoignant les collines de leur enfance, ils réunirent leurs fidèles amis pour leur révéler leur identité.

– Laisserons-nous ce traître d'Amulius sur le trône ?

– Non ! hurlèrent les autres. Renversons-le !

L'armée que les jumeaux constituèrent était bien maigre et très peu organisée. Mais les deux chefs étaient résolus.

De son côté, Amulius avait appris la nouvelle. Saisi de panique, il s'était retranché dans son palais et ruminait des regrets :

– Les fils de Rhéa Silvia... j'aurais dû les tuer de mes propres mains !

– Que Mars nous assiste ! fit Romulus en levant la tête.

– Oui... Puisse le dieu de la guerre nous donner la victoire ! ajouta Rémus en s'élançant avec ses hommes sur l'armée d'Amulius.

Le père divin des jumeaux ne les avait pas abandonnés : les troupes d'Amulius furent écrasées ! Les jumeaux pénétrèrent dans le palais et finirent par dénicher le roi terrorisé.

– Ne me tuez pas ! geignit-il. Je rends le trône à mon frère !

Pour toute réponse, Romulus frappa son oncle le premier ; et Rémus l'acheva d'un coup d'épée.

C'est ainsi qu'avec vingt ans de retard, Numitor redevint le souverain d'Albe-la-Longue. Sous son règne, la ville s'agrandit et prospéra. Bientôt, ses murs furent trop étroits pour contenir tous les habitants. Numitor dit alors à ses petits-enfants :

– Fondez une ville à votre tour !

Nombreux furent ceux qui quittèrent Albe

surpeuplée et suivirent les glorieux jumeaux. Ceux-ci se rendirent au bord du Tibre, au pied du mont Palatin où, autrefois, une louve les avait nourris. Romulus décréta :

– C'est ici que nous la fonderons. Et elle portera mon nom !

– Pourquoi le tien ? fit Rémus en riant.

Pour la première fois, ils s'affrontèrent du regard.

– Soit, admit Rémus. Eh bien moi, je fonderai ma ville là-bas.

Il désigna le mont Aventin, tout proche.

– Impossible ! dit Romulus. Ces deux villes seraient trop voisines. Il ne faut qu'une seule et grande cité.

– Je suis d'accord avec toi. Mais lequel de nous deux régnera ?

Le souvenir de la querelle entre Amulius et Numitor leur arracha une grimace : le pouvoir ne se partageait pas. Et de ces jumeaux, qui aurait pu dire lequel était l'aîné ?

– Consultons les augures, dit Romulus en

désignant le ciel. Les dieux nous enverront bien un signe. Un signe si évident que ceux qui nous ont suivis sauront le traduire aussi bien que nous.

Tandis que Romulus attendait sur le mont Palatin, Rémus avait gagné le mont Aventin. Dans la plaine, le peuple s'impatientait.

Soudain, Rémus désigna six vautours qui traversaient le ciel au-dessus de sa tête. Il hurla aux gens réunis :

– Voyez ! Les dieux me désignent !

– Non, répondit Romulus. Regardez ces autres vautours qui planent sur ma colline : ils sont douze ! Gloire à Mars qui m'a élu !

– Mon frère, tu triches : les augures se sont manifestés à moi en premier.

– Quoi ? Oses-tu prétendre que tes six vautours valent mieux que les douze miens ?

Déjà, en contrebas, la population de la future ville prenait parti : les uns soutenaient Rémus, les autres Romulus. Les deux frères quittèrent leurs collines, se rejoignirent, se disputèrent, manquèrent en venir aux mains. Alors, Romulus s'empara d'une charrue qu'avait emportée l'un des paysans du groupe. Il gronda :

– C'est simple : je vais tracer un sillon qui marquera les limites de ma ville. C'est là que seront bâtis les murs qui l'entoureront ! Et je t'interdis, Rémus, d'en franchir la limite !

Outragé, Rémus s'exclama :

– Ah bon ? De quel droit me donnes-tu un ordre ? Et que feras-tu si je l'enfreins ?

Par défi, il franchit d'un bond le sillon que son frère était en train de creuser. Incapable de dominer sa colère, Romulus tonna :

– Je te tuerai !

Lâchant la charrue, il saisit son glaive, le brandit... et en transperça son frère ! Puis, posant le pied sur son cadavre, il clama à tous ceux qui étaient massés dans la plaine :

– Croyez-moi : un jour, cette ville dominera le monde !

C'est ainsi que fut fondée Rome. Dans la passion et la haine, dans la violence et la douleur.

C'est ici, également, que les dieux cèdent la place aux hommes. Car cet événement a une date : l'an 753 avant Jésus-Christ. Peu à peu, l'Histoire va prendre le relais des légendes...

La chute de Troie et la naissance de Rome ont ainsi pour lointaine origine la rancœur d'une déesse malfaisante : fille de la Nuit, sœur des Parques[1] et de la Mort, mère de la Misère, de la Famine et du Mensonge... une divinité aujourd'hui oubliée dont le nom et les effets sont pourtant devenus tristement célèbres : la Discorde.

1. Les Parques : les trois déesses qui filent, dévident et tranchent les vies humaines et symbolisent ainsi le destin et la mort.

Postface

Qu'est-ce qu'un héros ? À l'origine, le fruit de l'union d'un dieu et d'un(e) humain(e). Hélas, les héros de la mythologie grecque ou romaine sont innombrables ! Lesquels choisir ?

J'ai voulu privilégier quelques figures oubliées dont l'action me paraissait d'actualité : ainsi, Philémon et Baucis attachés au devoir de l'hospitalité ; Antigone, qui enfreint une loi injuste ; ou Orphée, que sa passion conduit dans les Enfers.

Restaient quelques personnages incontournables : Œdipe, qui, davantage que l'inceste, illustre le caractère irrévocable du destin. Et puis, bien sûr, Persée, Thésée, Hercule... L'histoire de chacun d'eux eût justifié un volume entier !

Seule échappatoire : évoquer en quelques pages un seul exploit de chacun d'eux. Pour Persée et Thésée, les affrontements avec Méduse et le Minotaure s'imposaient : ces épreuves sont d'ailleurs ici les seules à rappeler les travaux de leur célèbre *alter ego*. Hercule ? Même si j'avais déjà raconté ses douze travaux, il fallait qu'il fût présent ; j'ai jugé intéressant de relater un épisode où il apparaît... à contre-emploi : face à l'esclave qu'il est devenu, se devine chez Omphale *ce plaisir qui naît de l'humiliation faite à un être adoré* cher à Sacher-Masoch.

Si Jason est absent, c'est parce que le seul épisode attaché à son nom, la conquête de la toison d'or, n'est pas réellement signifiant. L'intérêt des aventures de Jason, c'est la présence de ses compagnons, les Argonautes – et les mille incidents annexes ou mineurs de l'expédition relatés par Appolonios de Rhodes dans ses *Argonautiques.*

Quant aux héros de l'*Iliade* et de l'*Odyssée,* comment se substituer à Homère ? Peut-être en essayant, dans un raccourci obligé, d'en proposer les portraits des personnages les plus caractéristiques : Pâris, involontaire déclencheur d'un interminable conflit ; Achille, dont la colère entraîna l'immobilisme ; Ulysse, dont le fameux cheval n'était pas la dernière ruse... Au lieu de résumer l'*Énéide* ou de reprendre un épisode de l'*Odyssée*, j'ai préféré en évoquer la fin avec les yeux de celle qui, plus que la fidélité, symbolise à mes yeux la patience et l'opiniâtreté : Pénélope. Quant à Romulus et Rémus, ils offrent le trait d'union qui relie les mythes à l'Histoire.

Les mythes, les religions, la science... À mes yeux, ce sont les trois échafaudages qui, dans l'histoire de l'humanité, ont tenté d'expliquer le monde ; conjugués à tous les arts en général – et à la littérature en particulier –, les deux premiers ont déjà livré leurs grands textes fondateurs. En attendant les surprises que nous réserve la science, peut-être faut-il redécouvrir les obsessions des auteurs anciens. Car *si tu ne sais pas très bien où tu vas,* dit le proberbe, *alors regarde d'où tu viens.*

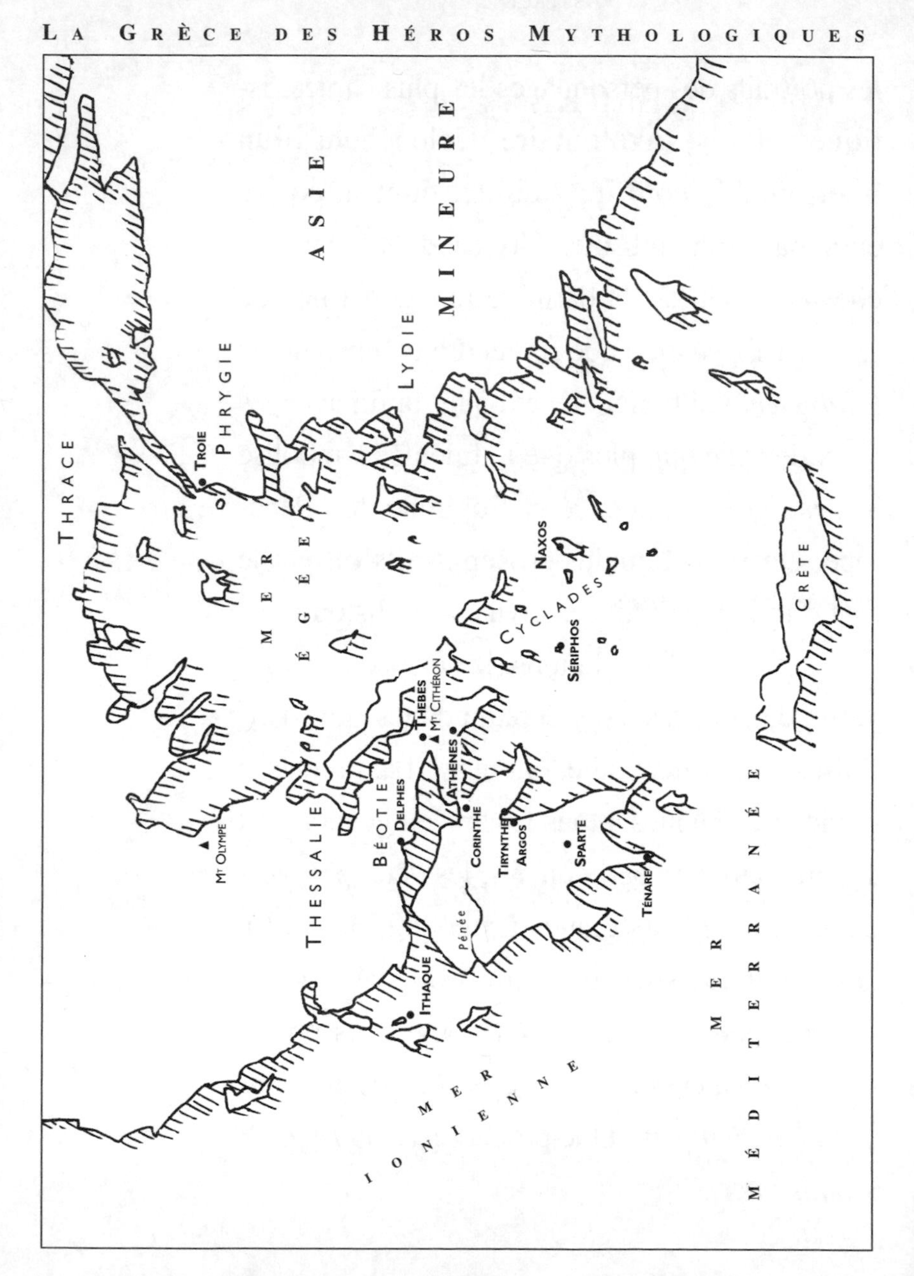
Thrace
Phrygie
Troie
Asie
Mineure
Lydie
Mer Égée
Thessalie
Mt Olympe
Béotie
Delphes
Thebes
Mt Cithéron
Athenes
Corinthe
Tirynthe
Argos
Sparte
Ténare
Pénée
Ithaque
Mer Ionienne
Cyclades
Naxos
Sériphos
Crète
Mer Méditerranée

Bibliographie

Encyclopédies et ouvrages généraux sur la mythologie

Encyclopaedia Universalis, 30 vol. E. et U.S.A., Paris, 1993.

La Grande Encyclopédie Larousse, 21 vol. Larousse, Paris, 1971.

Grand Dictionnaire Universel du XIXe siècle, 15 vol. Larousse, Paris, 1876.

Dictionnaire encyclopédique Quillet, 6 vol. Librairie Aristide Quillet, Paris, 1958.

Les plus belles légendes de la mythologie, Nathan, Paris, 1992.

Les plus belles histoires de la mythologie romaine, Nathan, Paris, 1983.

Dictionnaire culturel de la mythologie gréco-romaine, Nathan, Paris, 1992.

Beck Martine, *Dictionnaire de la mythologie,* Nathan, Paris, 1985.
Fischetto Laura, *La mythologie, les héros et les hommes,* Centurion, Paris, 1991.
Fischetto Laura, *La mythologie, les aventures des dieux,* Centurion, Paris, 1991.
Genest Emile, *Contes et légendes mythologiques,* Nathan, 1929 (Pocket Junior, 1994), Paris.
Grimal Pierre, *Petite histoire de la mythologie et des dieux,* Nathan, Paris, 1954.
Guillemin A.-M., *Récits mythologiques,* Hatier, Paris, 1936.
Meunier Mario, *La légende dorée des dieux et des héros,* Albin Michel, Paris, 1946.
Vivet-Rémy Anne-Catherine, *Les travaux d'Hercule,* Retz, Paris, 1997.

Ouvrages d'auteurs concernant des héros particuliers

Alamanni : *Antigone.*
Alfieri (Vittorio) : *Antigone ; Polynice.*
Anouilh (Jean) : *Antigone ; Eurydice.*
Appolonios de Rhodes : *Les Argonautiques ; Les Argonautiques d'Orphée.*
Ballanche (Pierre Simon) : *Antigone.*
Boccace : *De la généalogie des dieux ;* la *Théséide.*
Brecht (Bertolt) : *Antigone 1948.*

Calderón : *Le divin Orphée ; Les aventures d'Andromède et de Persée.*
Chaucer (Geoffrey) : *La légende des femmes exemplaires.*
Cocteau (Jean) : *La Machine infernale ; Orphée.*
Corneille (Pierre) : *Œdipe ; La conquête de la toison d'or ; Andromède.*
Dante : *L'Enfer.*
d'Annunzio (Gabriele) : *Phèdre ; Louanges du ciel, de la mer, de la terre et des héros.*
Eschyle : *Le Sphinx ; Les Phéniciennes ; Les Myrmidons ; Les Néréides ; La Rançon d'Hector.*
Euripide : *Les Phéniciennes ; Alceste ; Andromède ; L'Héraclès furieux ; L'Hippolyte voilé ; L'Hippolyte porte-couronne ; Iphigénie ; Iphigénie en Aulide ; Hécube ; Le Cyclope.*
Garnier (Robert) : *Antigone ou la Piété ; Hippolyte.*
Gide (André) : *Œdipe ; Thésée.*
Giono (Jean) : *Naissance de l'Odyssée.*
Giraudoux (Jean) : *La guerre de Troie n'aura pas lieu ; El Pénor.*
Goethe (Johan Wolfgang von) : *Achilléide.*
Hegel (Friedrich) : *Esthétique.*
Hésiode : *Le bouclier d'Hercule.*
Hochhut (Rolf) : *L'Antigone de Berlin.*
Hölderlin (Friedrich) : *Remarques sur Antigone.*
Homère : *L'Iliade ; L'Odyssée.*

Isocrate : *Éloge d'Hélène.*
Joyce (James) : *Ulysse.*
Lope de Vega : *Le mari très fidèle.*
Neveux (Georges) : *Le voyage de Thésée.*
Ovide : *Les Métamorphoses ; L'Héroïde.*
Phérécyde : *Apollodore.*
Pindare : *IVe Pythique ; IIIe et VIIIe Néméenne.*
Platon : *Le banquet ou de l'Amour ;*
Hippias mineur ou sur le mensonge.
Plutarque : *Vie de Thésée.*
Politien : *La fable d'Orphée.*
Ponsard (François) : *Ulysse.*
Racine (Jean) : *La Thébaïde ; Phèdre ;*
Iphigénie en Aulide.
Rilke (Rainer Maria) : *Sonnets à Orphée.*
Ronsard (Pierre de) : *Les hymnes.*
Rotrou (Jean de) : *Antigone ; Iphigénie.*
Samosate (Lucien de) : *Dialogue des dieux.*
Sénèque : *Œdipe ; La Thébaïde ; Hippolyte ;*
Les Troyennes.
Shakespeare (William) : *Troïlus et Cressida.*
Shelley (Percy Bysshe) : *Orpheus.*
Sophocle : *Antigone ; Œdipe roi ;*
Œdipe à Colone ; Ajax ; Philoctète.
Thucydide : *Histoire de la guerre de Péloponnèse.*
Virgile : *Les Géorgiques.*
Voltaire : *Œdipe.*

Table des matières

Christian Grenier

Né en 1945 à Paris, Christian Grenier a une cinquantaine de romans à son actif. Amoureux de toutes les littératures, il les a déclinées sur de nombreux registres : nouvelles, contes, théâtre, polars, scénarios de BD, de dessins animés pour la télévision... Longtemps, son centre d'intérêt privilégié a été la science-fiction ; il lui a consacré trois essais, de nombreux romans et plusieurs cycles, dont celui d'*Aïna* (Nathan, « Pleine Lune »).
Aujourd'hui, il habite le Périgord, où il se consacre exclusivement à l'écriture.

Parmi les ouvrages du même auteur

La Machination, Hachette
(Le Livre de poche Jeunesse), 1981.
Le Cœur en abîme, Hachette
(Le Livre de poche Jeunesse), 1995.
Coups de théâtre, Hatier-Rageot
(Cascade Policier), 1994.
La Fille de 3ᵉB, Hatier-Rageot
(Cascade Pluriel), 1995.
Le Pianiste sans visage, Hatier-Rageot
(Cascade Pluriel), 1995.
Un printemps sans cerise, Syros
(Les uns et les autres), 1995.

Aux Éditions Nathan :
Dans la collection « Pleine Lune » :
Aïna, Fille des étoiles, 1995.
Aïna et le Secret des oglonis, 1996.
Aïna et le Pirate de la Comète, 1997.
Kaha, Supermaki, 1997.
L'Arbre-Monde, 1998.

Dans la collection « Demi-Lune » :
Le Château des enfants gris, 1996.
Parfaite Petite Poupée, 1997.

Dans la collection « Contes et Légendes » :
Contes et Récits de la conquête du Ciel et de l'Espace, 1996.
Contes et Légendes - Les douze travaux d'Hercule, 1997.

Philippe Kailhenn

Vous allez rire : mon arrière-arrière-grand-père était Centaure. Centaure à Penmarc'h, la Tête de Cheval. Je crois que c'est à cause de son souvenir que mes parents me prénommèrent Philippe, « Ami des Chevaux », en grec ancien...

N'allez surtout pas vous imaginer que je suis né de la cuisse de Jupiter ni même de celle de Vénus, ce qui aurait été divin ! Ma mère était une mortelle, tout ce qu'il y a de mortelle. Une nuit, elle eut un rêve comme celui que fit Hécube, elle se vit accouchant d'un caillou, et plus tard, je naquis. Cela explique pourquoi je m'appelle Kailhenn, qui veut dire « caillou » en breton.

Comme vous voyez, j'étais en quelque sorte prédestiné à illustrer ces histoires mythologiques plutôt gratinées, entre nous soit dit...

Et mon père, allez-vous demander, qu'était-il donc ?

Eh bien ça ne vous regarde pas, petits curieux !

DANS LA MÊME COLLECTION

Contes et Légendes de la naissance de Rome, François Sautereau.

Contes et Récits des héros de la Rome antique, Jean-Pierre Andrevon.

Contes et Légendes - Les Métamorphoses d'Ovide, Laurence Gillot.

Contes et Légendes de la mythologie grecque, Claude Pouzadoux.

Contes et Récits des héros de la Grèce antique, Christian Grenier.

Contes et Légendes - L'Iliade, Jean Martin.

Contes et Légendes - L'Odyssée, Jean Martin.

Contes et Légendes - Les douze travaux d'Hercule, Christian Grenier.

Contes et Légendes de l'Égypte ancienne, Brigitte Évano.

Contes et Légendes du temps des pyramides, Christian Jacq.

Contes et Légendes de la mythologie celtique, Christian Léourier.

Contes et Légendes des Jeux d'Olympie, Brigitte Évano.

Contes et Récits des Jeux olympiques, Gilles Massardier.

Contes et Légendes des Vikings, Lars Haraldson.

Contes et Légendes des chevaliers de la Table ronde, Jacqueline Mirande.

Contes et Légendes du Moyen Âge, Jacqueline Mirande.

Contes et Récits des héros du Moyen Âge, Gilles Massardier.

Contes et Récits - Les grandes énigmes de l'histoire, Gilles Massardier.

Histoires et Récits de la Résistance, Christian Léourier.

Contes et Récits de Paris, Stéphane Descornes.

Contes et Récits de la conquête de l'Ouest, Christophe Lambert.

Contes et Légendes d'Afrique d'ouest en est, Yves Pinguilly.

Contes et Légendes - La Corne de l'Afrique, Yves Pinguilly.

Contes et Légendes d'Arménie, Reine Cioulachtjian.

Contes et Légendes de Bretagne, Yves Pinguilly.

Contes et Légendes de Provence, Jean-Marie Barnaud.
Contes et Légendes des fées et des princesses, Gudule.
Contes et Légendes des Lieux mystérieux, Christophe Lambert.
Contes et Légendes de la Peur, Gudule.
Contes et Récits des chevaux illustres, Pierre Davy.
Contes et Légendes des Animaux magiques, Collectif.
Contes et Récits des héros de la montagne, Christian Léourier.
Contes et Légendes de la Nature enchantée, Collectif.
Contes et Récits - Icare et les conquérants du ciel, Christian Grenier.
Contes et Légendes - Barberousse et les conquérants de la Méditerranée, Claire Derouin.
Contes et Légendes du Loup, Léo Lamarche.
Contes et Légendes des Mille et Une Nuits, Gudule.
Contes et Récits des pirates, corsaires et flibustiers, Stéphane Descornes.
Contes et Légendes des Fantômes et Revenants, Collectif.
Contes et Récits du Cirque, Laurence Gillot.
Contes et Légendes de l'Amour, Gudule.
Contes et Récits - Alexandre le Grand, Dominique Joly.
Contes et Récits - Rois et Reines de France, Brigitte Coppin.
Contes et Légendes des Milles et Un Jours, Sarah K.
Contes et Légendes des Elfes et des Lutins, Gudule.

Cartographie : Atelier Pangaud, Paris.
N° d'éditeur : 10139684
Dépôt légal : mars 2007
Imprimé par Graficas Estella
Flashage numérique CTP
ISBN : 978-2-09-282266-1
Conforme à la loi n° 49.956 du 16 juillet 1949
Sur les publications destinées à la jeunesse